Ermel

Cahier

de l'élève

MATHS CE1

Cycle des apprentissages fondamentaux

Anita Jabier
Denise Robert

HATIER

Illustrations : Christian Goux
Calligraphie : Nicole Vilette
Cartographie : Édigraphie
Mise en page : Diminfo
Conception graphique : Graphismes

Avant-propos

Les maîtres qui ont expérimenté les situations présentées dans *Ermel - Apprentissages numériques et résolution de problèmes*, soit dans le cadre de la recherche, soit après la parution des ouvrages de Grande section, du CP et du CE1, nous ont dit leur difficulté à gérer des progressions riches mais coûteuses en temps de préparation.

C'est pour répondre à cette demande que nous avons conçu, à partir d'*Ermel - Apprentissages numériques au CE1*, de nouveaux outils de travail :

– un *Cahier de l'élève* (avec quatre planches de matériel individuel encartées) qui permet de conserver une trace écrite des différentes activités proposées par *Ermel* ;
– des *Numéricartes*, un matériel collectif composé de jeux de cartes numériques et destiné à faciliter la mise en place des activités de calcul mental décrites dans l'ouvrage de référence ;
– un *Guide d'utilisation* pour le maître, dont l'objectif est de faire le lien entre l'ouvrage de référence *Ermel*, le *Cahier de l'élève* et les *Numéricartes*.

Le *Cahier de l'élève* offre aux maîtres, aux parents mais surtout aux élèves, un support sur lequel figurent des énoncés de problèmes, des exercices écrits d'entraînement, de réinvestissement, des jeux et des règles de jeux ainsi que des bilans qui ponctuent les cinq périodes de l'année scolaire. Ces bilans ciblent les connaissances indispensables à acquérir au cours d'une période. L'évaluation en elle-même est permanente : dans les activités présentées par *Ermel*, il est tenu compte des procédures des élèves et une différenciation est éventuellement indiquée.

Tel qu'il est conçu, le *Cahier de l'élève* n'est pas un manuel au sens traditionnel du terme :
– organisé par périodes, par quinzaines et par thèmes, il n'est pas complètement linéaire, assurant ainsi une souplesse d'utilisation que l'on ne trouve pas toujours dans un manuel ;
– tous les énoncés, règles, données, consignes ne figurent pas dans ce cahier, d'où les renvois fréquents à l'ouvrage *Ermel CE1* qui reste la référence indispensable ;
– les élèves travaillent sur ce cahier pour répondre aux questions qui leur sont posées mais aussi pour chercher, mettre au point une démarche, effectuer des calculs... ;
– le maître peut y faire figurer d'autres écrits (brouillons, fiches photocopiables, exercices supplémentaires...) en utilisant la marge pour les coller.

Notre objectif sera atteint si l'utilisation conjointe du *Cahier de l'élève*, des *Numéricartes* et du *Guide d'utilisation*, en liaison avec l'ouvrage de référence, permet une mise en œuvre plus aisée des méthodes d'éducation mathématique préconisées par l'équipe ERMEL/INRP.

Les Auteurs

Comment utiliser le Cahier de l'élève

ORGANISATION DU CAHIER

Le *Cahier de l'élève* est organisé en cinq périodes de trois quinzaines chacune.

Chaque période s'ouvre sur le **sommaire** des différentes activités donnant lieu à une trace écrite dans le *Cahier de l'élève*.

Les activités, issues d'*Ermel*, sont regroupées et se succèdent dans l'ordre des quatre grands thèmes de l'ouvrage de référence. Pour faciliter le repérage, chaque thème est associé, dans le *Cahier de l'élève*, à une couleur :

activités du thème « **Problèmes** » ;

activités du thème « **Calculs additifs et soustractifs** » ;

activités du thème « **Calculs multiplicatifs et de division** » ;

activités du thème « **Connaître les nombres** ».

Chaque période se termine sur un **bilan** ciblant les connaissances indispensables à acquérir au cours de la période.

À l'intérieur du *Cahier de l'élève* sont encartées **quatre planches de matériel individuel** visant à faciliter l'appropriation de certaines connaissances.
– Planche 1 : la bande numérique ;
– Planche 2 : un matériel de numération ;
– Planches 3 et 4 : des billets et des pièces de monnaie.

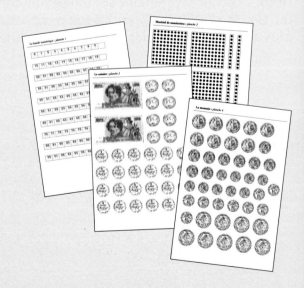

QUELQUES REPÈRES

Thème des activités

Titres des activités

Renvois à *Ermel* et au *Guide d'utilisation*

Indication sur le contenu des activités

Repère temporel

Espaces réservés à l'élève

Numéros d'exercices

Marge réservée à l'enseignant pour ses annotations et les collages

Jeu mathématique

Règle dont la lecture est faite par les élèves

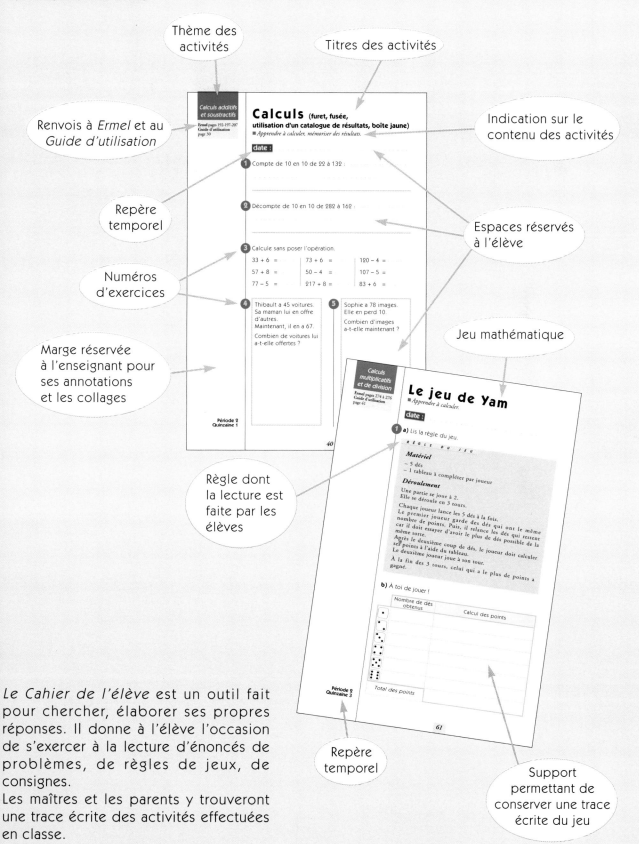

Repère temporel

Support permettant de conserver une trace écrite du jeu

Le Cahier de l'élève est un outil fait pour chercher, élaborer ses propres réponses. Il donne à l'élève l'occasion de s'exercer à la lecture d'énoncés de problèmes, de règles de jeux, de consignes.
Les maîtres et les parents y trouveront une trace écrite des activités effectuées en classe.

Période 1

Problèmes

Ermel pages 53 à 55
Guide d'utilisation
page 10

La rentrée

■ *Résoudre un problème.*

date : ....

Lis cet énoncé.

C'est la rentrée.
Il y a ..... élèves dans une classe.
La maîtresse donne des cahiers et des livres.
Chaque élève reçoit 2 cahiers et 1 livre.

Combien de cahiers la maîtresse a-t-elle donnés ?
Combien de livres a-t-elle donnés ?

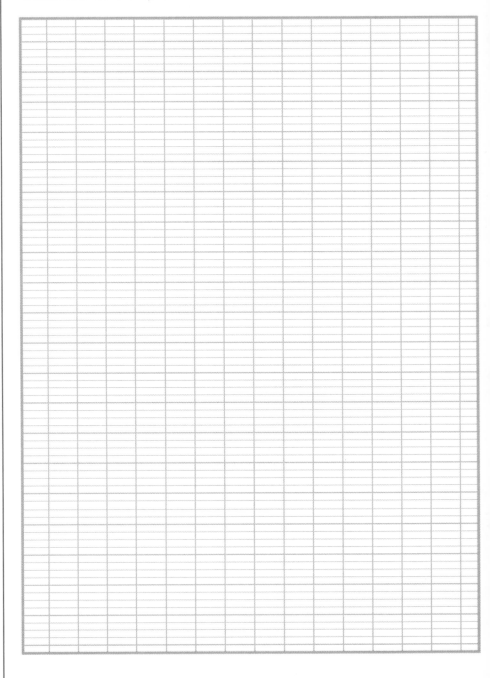

Le goûter

■ *Résoudre un problème.*

date : ....

Lis cet énoncé.

...... enfants sont réunis pour goûter.
Chaque enfant reçoit 1 gâteau et 4 bonbons.

Combien de gâteaux a-t-on donnés ?
Combien de bonbons a-t-on donnés ?

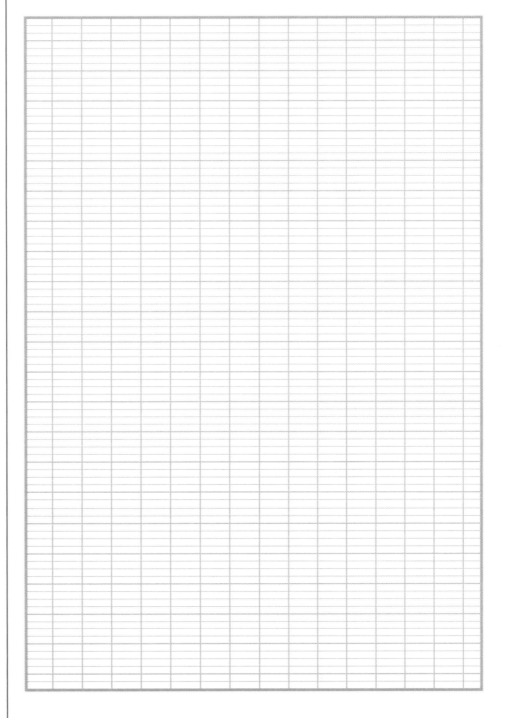

Calculs additifs
et soustractifs

Ermel pages 125 à 128
Guide d'utilisation
page 10

La boîte jaune

■ *Résoudre des problèmes additifs et soustractifs.*

date : ....

1 Sophie range 15 cubes dans la boîte jaune,
puis elle en ajoute 8.

Combien de cubes y a-t-il dans la boîte ?

2 Il y a des perles dans une boîte. Sonia met 7 perles
dans la boîte. Maintenant, il y a 34 perles en tout.

Combien de perles y avait-il dans la boîte avant ?

3 Dimitri a 15 billes dans sa sacoche.
Il en donne 6 à son copain.

Combien de billes Dimitri a-t-il maintenant ?

*Calculs additifs
et soustractifs*

Ermel pages 181 à 182
Guide d'utilisation
page 11

Le labynombre

■ *Mémoriser les décompositions de 10.*

date : ....

Colorie un chemin qui ne passe que par les cases de 10 points.

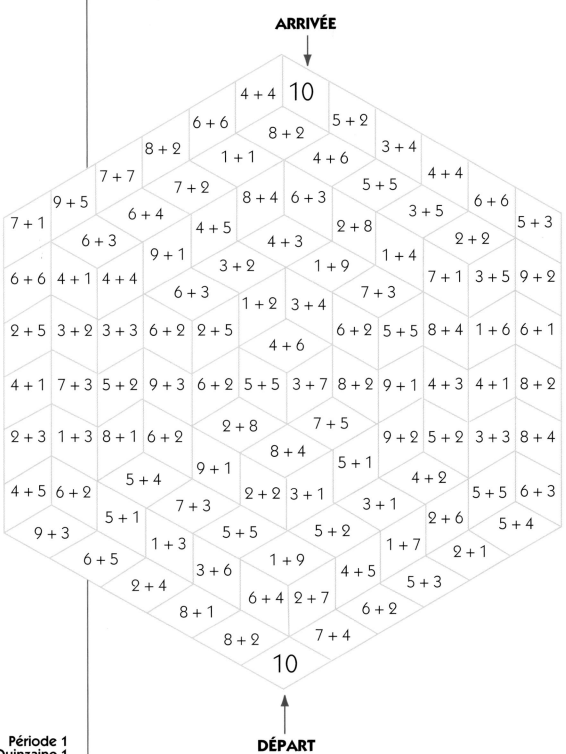

Calculs additifs
et soustractifs

Ermel pages 215 à 217
Guide d'utilisation
page 11

Les bons de commande

■ *Connaître les techniques opératoires.*

date : ....

1 Cherche combien de graines les petites filles ont en tout.

Karine a commandé 105 graines.
Maryne a commandé 83 graines.

2 Pierre achète une trousse à 45 F et un classeur à 38 F.

Combien va-il payer en tout ?

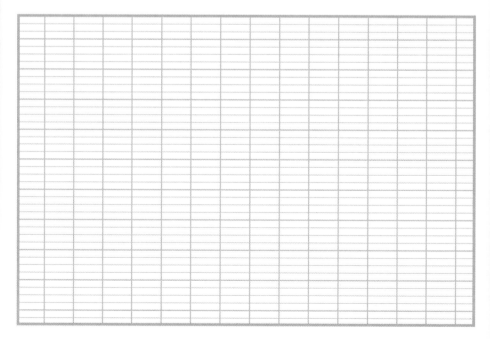

3 Pose et effectue les additions.

34 + 24

35 + 45

73 + 44

213 + 123

103 + 24 + 214

432 + 135 + 245

La bande numérique

■ *Comprendre la suite écrite des nombres.*

date : ....

● Complète ces morceaux de bande numérique.

	40					45	46			

			70			73				

				100						

										92

Connaître
les nombres

Ermel pages 346 à 347
Guide d'utilisation
page 12

Le rouleau des nombres

■ *Comprendre la suite écrite des nombres.*

date : ....

1 Complète ces parties du rouleau des nombres.

2 Un nombre est dans la famille des trente. Il se termine par 5.
Quel est ce nombre ? ......

3 Il se termine par 4. Il est dans la famille des 90.
Quel est-ce nombre ? ......

4 Il est entre 120 et 130. Il se termine par un huit.
Quel est ce nombre ? ......

Connaître les nombres

Ermel page 344
Guide d'utilisation page 12

Les comptines numériques

■ *Mémoriser la suite des nombres.*

date : ....

1 Compte de 2 en 2 de 0 à 40.

....

....

2 Compte de 5 en 5 de 0 à 50.

....

....

**Période 1
Quinzaine 1**

15

3 Écris le nombre qui vient juste avant et celui qui vient juste après.

......	40	......		......	70	......		......	54	......

......	29	......		......	65	......		......	80	......

Le jeu du furet

■ *Mémoriser la suite des nombres.*

date : ....

1 Relie les points de 1 à 38 puis relie de 39 à 81.

2 Compte de 2 en 2 de 1 à 21.

....

....

3 Compte de 10 en 10 de 0 à 100.

....

....

4 Compte de 10 en 10 de 3 à 103.

....

....

5 Trouve l'erreur et barre-la.

a) 15 - 25 - 35 - 44 - 55 - 65 - 75

b) 48 - 50 - 52 - 54 - 56 - 57 - 58

c) 85 - 84 - 83 - 82 - 81 - 80 - 78

6 Trouve la règle et continue.

a) 14 - 16 - 18 - 20 - ...... - ......, - ...... - ...... - ...... - ......

b) 74 - 64 - 54 - 44 - ...... - ...... - ...... - ...... - ...... - ......

c) 95 - 100 - 105 - 110 - ...... - ...... - ...... - ...... - ......

Problèmes

Ermel pages 55 à 56
Guide d'utilisation
page 16

Les voitures

■ *Résoudre un problème.*

date : ....

1 Lis cet énoncé.

...... voitures sont transportées dans des wagons.
Chaque wagon peut contenir ...... voitures.

Combien de wagons faut-il pour transporter toutes
les voitures ?

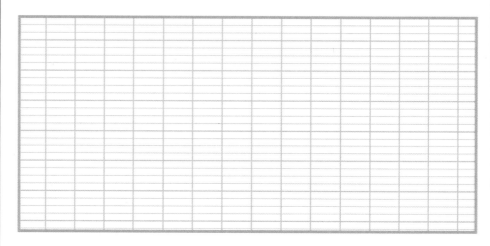

date : ....

2 Lis cet énoncé.

La pâtissière

La pâtissière doit livrer ...... tartes.
Elle les place dans des boîtes. Chaque boîte peut
contenir ...... tartes.

Combien de boîtes faut-il pour livrer toutes les tartes ?

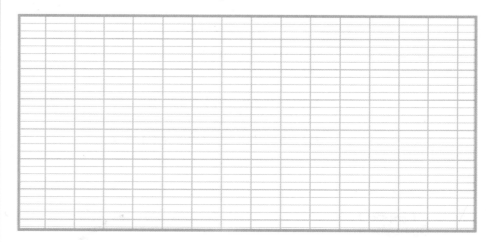

Période 1
Quinzaine 2

Calculs additifs et soustractifs

Ermel pages 128 à 129
Guide d'utilisation
page 16

La boîte jaune

■ *Savoir résoudre des problèmes additifs et soustractifs.*

date : ....

1 Paul met 28 cubes dans une boîte. Puis il en remet 34.
Combien de cubes y a-t-il dans la boîte maintenant ?

2 Il y a 43 cubes dans une boîte. Maxime en retire 24.
Combien de cubes y a-t-il dans la boîte maintenant ?

Le nombre pensé

■ *Savoir résoudre des problèmes additifs et soustractifs.*

date : ....

1 Je pense à un nombre. Je lui ajoute 7. Je trouve 19.
Quel est ce nombre ? Écris ta réponse : ......

2 Je prends le nombre 19. Je lui ajoute 21.
Je trouve : ......

Calculs (loto, dominos, utilisation d'un catalogue de résultats)

■ *Mémoriser des résultats.*

date : ....

1 Calcule.

5 + 2 = ...	5 + 5 = ...	9 – 4 = ...
4 + 4 = ...	7 + ... = 10	8 – 3 = ...
5 + 3 = ...	2 pour aller à 10 = ...	6 = 5 + ...
9 = 5 + ...	6 + ... = 10	10 – 5 = ...
7 = 5 + ...	6 pour aller à 12 = ...	...... + 3 = 10
10 = 8 + ...	5 pour aller à 9 = ...	7 – 4 = ...

2 Relie toutes les écritures égales à 10.

6 + 1   10   2 + 4   4 + 4

6 + 4   7 + 3   8 + 2

5 + 5   4 + 5   9 + 1

3 Colorie tout ce qui fait 9.

9   6 + 2   2+3+4

7 + 2   8 +1   3 + 4

4 + 2   6 + 3   4 + 5

4 Complète les égalités.

6 + 4 = 7 + ... = ... | ...... + ... = 12 = 5 + ...

10 + ... = 7 + 7 = ... | 5 + 6 = ... = ... + ...

Le puzzle

■ *Mémoriser les décompositions de 6, 7, 8, 9, 10.*

date : ....

Colorie certaines cases en suivant la règle de coloriage :

10 en ■   9 en ■   8 en ■   7 en ■   6 en ■   5 en ■

2-1	4-2	7-6	8-7	7-7	6+4	5+5	4+6	8+10	10+9	10+9	7+10	de3 à14	6+10	de2 à13
de4 à6	de3 à4	3+10	7+5	8+4	5+4	10-1	18-9	de9 à18	4+5	10-6	10-7	10+5	de5 à16	6+5
7+7	8+8	9+9	10-9	10-8	16-8	9+1	5+3	1+9	3+5	10-8	10-5	5+6	10-9	de4 à15
6+6	10+10	7-6	8-8	4+6	4+3	5+2	2+5	10-3	3+4	7+3	10-6	10+4	de10 à13	de6 à17
5-2	4-3	9-9	5-2	6+5	4+2	8+2	10+0	3+7	2+4	10-9	10+10	9+2	10+3	de8 à19
5-1	10-10	4-1	5-3	11+0	5	4+1	1+4	2+3	3+2	7+4	10-2	8+3	de7 à9	2+9
4-1	0+12	4-2	3-1	7-4	7-5	7+6	1+9	7+7	7+8	7+9	7+10	10+1	10+2	7-6
3-3	6-2	7+3	8+2	1+9	4+3	3+5	10-3	16-8	2+5	4+6	10+0	9+1	13-1	4-4
4-2	8-4	3+3	12-6	13-2	10-1	10-3	3+7	1+6	5+4	7+4	10-5	3+2	5-5	12-1
2-1	6-3	8-2	5+1	8+3	5+3	5+5	5+2	2+8	10-2	8+3	4+1	2+3	11-10	6-6
de3 à6	3-1	de6 à12	4+2	7+7	18-9	6+1	4+6	10-3	4+5	13-2	de5 à10	0+5	7-7	9-7
4-1	10+10	10-4	3+3	4+9	10-3	16-8	10-3	3+5	6+1	15-2	7-2	8-3	9-8	3-1
de2 à4	de3 à5	4+2	12-6	7+4	9+3	10-8	1+9	10-9	9+9	8+8	6-1	1+4	4-2	8-6
10-8	6-2	4+6	7-5	2+8	10-5	5+1	2+3	3+3	4+3	6+4	7-4	2+8	9-7	2+9
8-4	6-2	de4 à8	8+3	5+2	3+3	4+1	7-2	8-3	9-4	6-1	10+1	7-6	2+2	3+10
9+2	7+5	6+5	7+4	4+1	de5 à10	2+2	1+3	1+2	3+3	10-4	de3 à14	4+10	7-7	de2 à13
8+3	7+4	6+6	9+2	6-1	8-3	7+4	6+5	9+2	5+1	3+3	de5 à16	8-4	de5 à16	9-6
8-8	7+7	13-2	12-8	3+2	1+4	6+6	8+3	7+7	4+2	de6 à12	9-8	de4 à15	8-5	8+5
de7 à18	2-1	9+9	10+10	10-5	0+5	10+1	9+6	6+5	12-6	10-4	de6 à17	9-5	10+2	8-6
de2 à4	8+8	7-5	9+1	2+8	6+4	5+6	7-4	7-3	2+8	0+10	3+7	8-7	8+4	8+3

Connaître
les nombres

Ermel pages 347 à 349
Guide d'utilisation
page 18

Le tableau des nombres

■ *Comprendre la suite écrite des nombres.*

date : ....

1 Écris les nombres dans les cases rouges.

0	1	2	3	4	5	6	7	8	9
10	☐	12	13	14	15	16	17	18	19
20	21	22	23	24	25	☐	27	28	☐
30	31	32	33	☐	35	36	37	38	39
40	☐							☐	
50				☐					
60									☐
70							☐		
80			☐		☐				
90	☐							☐	

2 Écris le nombre qui vient juste avant et celui qui vient juste après.

...... - 39 - .... - 84 - .... - 49 - ......

...... - 54 - .... - 79 - .... - 90 - ......

...... - 70 - .... - 100 - .... - 60 - ......

3 Complète.

58 - 59 - ...... - .... - ...... - 70 - ......

78 - 79 - ...... - .... - 90 - 91 - ......

85 - ...... - ...... - ......   110 - ...... - ...... - ......

89 - ...... - ...... - .... - 99 - 100 - ......

4 Écris les nombres dans les cases rouges.

0	1	2	3	4	5	6	7	8	9
10									☐
20			☐						
30									
40				☐					
50							☐		
60						☐			
70		☐							
80					☐				
90	☐							☐	

5 Écris les nombres dans les cases rouges.

0	1	2	3	4	5	6	7	8	9
			☐						
☐						☐			
									☐
☐					☐				
☐									

Connaître
les nombres

Ermel pages 347 à 349
Guide d'utilisation
page 18

date : ....

6 Voici des extraits de tableaux des nombres.
Écris les nombres dans les cases rouges.

a)

0	☐			☐		
10		☐				
20			☐			
30						
40						☐

b)

0	1	2	3	4	5	6
	☐					☐
		☐				
		☐				

c)

60	☐				
70				☐	
80		☐			
90	☐			☐	

d)

☐		14	☐
		☐	
☐			
			☐

e)

	☐			
31	☐			
☐				
	☐			

7 Le nombre écrit en rouge est bien placé. Barre l'intrus.

16	17			
		29		
36				

8 Le nombre écrit en rouge est bien placé. Barre les intrus.

a)

	35	36	37
45			
		57	
			88

b)

31		33		35	36
			54		46
51					56
					86

9 Le nombre 53 est bien placé. Entoure en rouge tous les nombres du tableau qui sont à leur place.

53		45		58	
	64		67		68
72	73				78
	83		86		88	

Problèmes

Ermel pages 58 à 59
Guide d'utilisation
page 24

Le restaurant scolaire

■ *Sélectionner des informations.*

date : ....

1 Lis cet énoncé.

Combien d'élèves mangent au restaurant scolaire dans cette école maternelle ?

Dans la classe des petits, il y a 25 élèves :
8 élèves mangent à la cantine.
Dans la classe des moyens, il y a 10 élèves qui mangent à la cantine.
Dans la classe des grands, il y a 30 élèves :
le maître et 12 élèves mangent à la cantine.

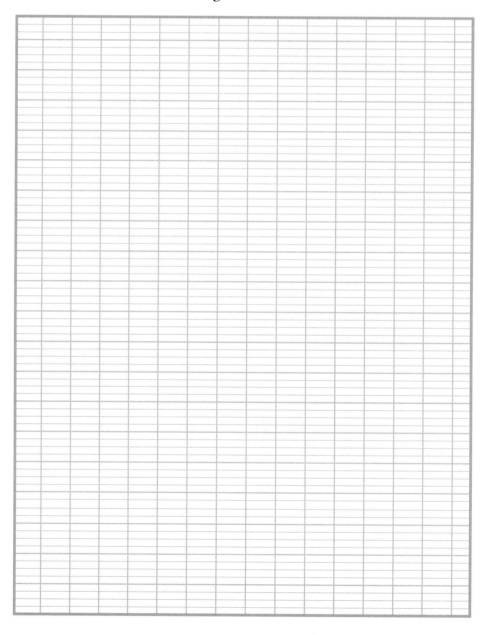

2 Lis cet énoncé.

L'étude

Cherche combien d'élèves restent à l'étude le soir.

Il y a 68 élèves à l'école Molière.
Au CP, il y a 21 élèves ; 15 restent à l'étude.
Au CE, 13 élèves restent à l'étude.
Au CM, il y a 25 élèves et 21 restent à l'étude.

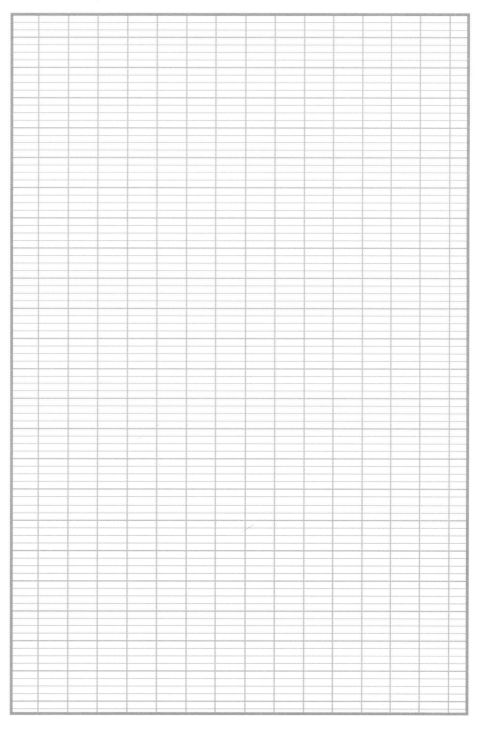

Calculs additifs
et soustractifs

Ermel pages 132 à 134
Guide d'utilisation
page 24

Problèmes à énoncés

■ *Résoudre des problèmes additifs et soustractifs.*

date : ....

1 Il y a 32 cubes dans la boîte. Cédric ajoute 14 cubes dans la boîte, puis Stéphane en ajoute 12.

Combien de cubes y a-t-il en tout ?

2 Des voitures sont restées garées toute la nuit dans un parking. Le lendemain matin, 26 voitures sont rentrées dans le parking. Maintenant, il y a 48 voitures.

Combien de voitures y avait-il dans le parking pendant la nuit ?

3 Combien d'élèves y a-t-il à l'école des Buissons ?

On sait qu'il y a :
– 3 classes de 25 élèves chacune ;
– 1 classe de 30 élèves ;
– 1 classe de 20 élèves ;
– 2 classes de 23 élèves chacune.

**Période 1
Quinzaine 3**

Calculs additifs et soustractifs

Ermel pages 186 à 189
Guide d'utilisation
page 25

La table de Pythagore

■ *Structurer le répertoire additif.*

date : ....

1 Complète la table avec tes camarades.

+	0	1	2	3	4	5	6	7	8	9
0										
1				4						
2										
3										
4			6							
5							11			
6										
7										
8										
9									17	

date : ....

2 Calcule les résultats des cases vertes.

a)

+	6	7	8	9
4	☐			☐
3			☐	
2		☐		

b)

+	5	6	7	8
2		☐		☐
3	☐		☐	
4		☐	☐	
5	☐		☐	☐

Calculs additifs et soustractifs

Ermel page 218
Guide d'utilisation
page 25

Calculs de sommes

■ *Connaître la technique opératoire de l'addition.*

date : ....

Calcule les opérations suivantes.

42 + 37

312 + 305

73 + 46 + 17

204 + 36

321 + 35 + 104

516 + 132 + 36

Connaître les nombres

Ermel pages 349 à 350
Guide d'utilisation
page 26

Autres jeux de portrait

■ *Traiter des informations.*

date : ....

1 Le nombre cherché est dans cette liste.

806 - 326 -782 - 406 - 886

Trouve-le à l'aide des informations données.
– Est-ce qu'il a un 0 ? Non.
– Est-ce qu'il se termine par 6 ? Oui.
– Est-ce que le chiffre du milieu est 8 ? Oui.

Écris ce nombre : ......

2 Le nombre cherché est dans cette liste.

491 - 91 - 601 - 306

Trouve-le à l'aide des informations données.
– Est-ce qu'il a un 1 ? Oui.
– Est-ce qu'il a un 9 ? Non.

Écris ce nombre : ......

3 Qui mange la glace de Romain ?
Pour le savoir, relie les nombres pairs de 2 à 136.

Connaître
les nombres

Ermel pages 358 à 360
Guide d'utilisation
page 26

La droite numérique

■ *Savoir placer des nombres sur une droite.*

`date :` ....

1 Place et écris les nombres sur la droite.

59 - 64 - 67 - 71

60   70

2 Place et écris les nombres sur la droite.

79 - 83 - 87 - 85

80   90

3 Place et écris les nombres sur la droite.

45 - 78 - 99 - 32 - 18

0   100

4 Place et écris les nombres sur la droite.

37 - 54 - 16 - 75 - 101

0   100

Connaître les nombres

Ermel pages 378 à 382
Guide d'utilisation
page 26

Les billes

■ *Avoir recours à un outil pour comparer des distances.*

date : ....

1 *(La consigne de cette activité sera donnée par le maître.)*

Connaître les nombres

Ermel pages 378 à 382
Guide d'utilisation
page 26

2 Entoure le point le plus proche de la croix et cherche un moyen de vérifier ta réponse.

Bilan 1

1 Damien range 25 cubes dans la boîte. Puis il en ajoute 17.

Combien de cubes y a-t-il dans la boîte ?

2 Il y a des billes dans une boîte. Anaïs en ajoute encore 12. Maintenant, il y a 36 billes en tout.

Combien de billes y avait-il dans la boîte avant ?

3 Florian a 65 images dans sa pochette. Il en donne 12 à son copain.

Combien d'images Florian a-t-il maintenant ?

4 Pose et effectue les additions.

21 + 35

35 + 25 + 15

409 + 152

321 + 39 + 107

Bilan 1

5 a) Compte de 2 en 2 de 4 à 36.

....

....

b) Compte à l'envers de 70 à 50.

....

....

6 Écris le nombre qui vient juste avant et celui qui vient juste après.

......	30	......		......	90	......

......	50	......		......	70	......

7 Calcule.

$8 + 8 =$ ...... $9 - 5 =$ ......

$7 + 3 =$ ...... $7 - 2 =$ ......

$10 = 2 +$ ...... $10 + 2 =$ ......

$8 + 4 =$ ...... $9 - 3 =$ ......

8 Colorie tout ce qui fait 5 en jaune et tout ce qui fait 10 en bleu.

8 + 3	7 + 3	2 + 2 + 1
1 + 8 + 1	5 + 3 + 4	2 + 3
3 + 3	2 + 2 + 2	5 + 5
9 + 2	4 + 2	6 + 4
6 + 3	4 + 3 + 3	2 + 2 + 6
2 + 8	1 + 5	5 + 0
1 + 1 + 3	5 + 6	7 + 7
9 + 1	3 + 2 + 5	7 + 2 + 1
4 + 3 + 3	12 − 2	7 − 2

9 Le nombre cherché est dans cette liste.

437 - 407 - 783 - 73

Trouve-le à l'aide des informations données.
– Est-il plus petit que 600 ? Oui.
– Se termine-t-il par 7 ? Oui.
– A-t-il un zéro ? Non.

Écris le nombre : ......

10 Écris les nombres sur la droite numérique.

47 - 36 - 9 - 78 - 112

0   100

Période 2

Problèmes

Ermel pages 59 à 61
Guide d'utilisation
page 30

Le calendrier

■ *Savoir chercher des informations sur différents supports.*

date : ....

Cherche, sur le calendrier que le maître va te donner, le nombre de jours où les élèves peuvent manger à la cantine de la rentrée des classes jusqu'à Noël.

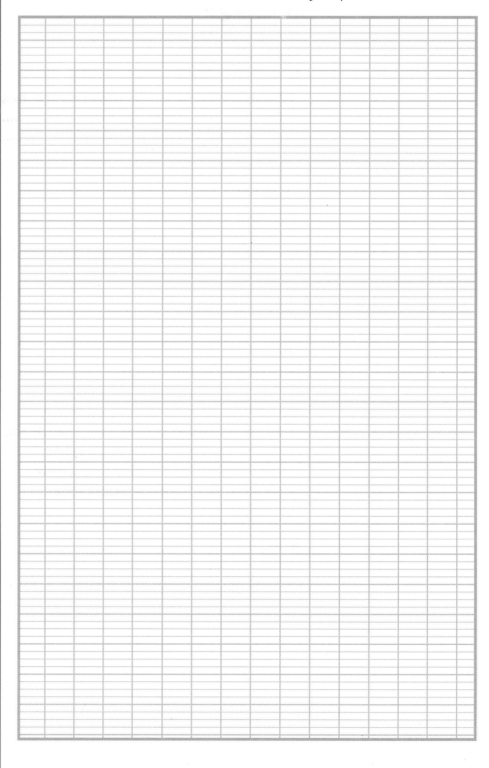

Problèmes

Ermel pages 61 à 62
Guide d'utilisation
page 30

Le catalogue

■ *Savoir chercher des informations sur différents supports.*

date : ....

● Fais une commande. Elle ne doit pas dépasser .... F.

250 F
166 F
52 F
78 F
25 F
49 F
649 F
90 F
110 F

Ph. © Colibleu - Avec leur aimable autorisation.

Calculs (furet, fusée,
utilisation d'un catalogue de résultats, boîte jaune)

■ *Apprendre à calculer, mémoriser des résultats.*

date : ....

1 Compte de 10 en 10 de 22 à 132 : ....

....

2 Décompte de 10 en 10 de 282 à 162 : ....

....

3 Calcule sans poser l'opération.

$33 + 6 =$	$73 + 6 =$	$120 - 4 =$ ....
$57 + 8 =$	$50 - 4 =$	$107 - 5 =$ ....
$77 - 5 =$	$217 + 8 =$	$83 + 6 =$ ....

4 Thibault a 45 voitures.
Sa maman lui en offre
d'autres.
Maintenant, il en a 67.

Combien de voitures lui
a-t-elle offertes ?

5 Sophie a 78 images.
Elle en perd 10.

Combien d'images
a-t-elle maintenant ?

Connaître les nombres

Ermel pages 309 à 315
Guide d'utilisation
page 31

Le caissier 1
(le caissier donne)

■ *Savoir effectuer des échanges.*

date : ....

1 Lis la règle du jeu.

> **RÈGLE DU JEU**
>
> ### Matériel
> – 100 pièces de 1F
> – 30 pièces de 10 F
> – 3 billets de 100 F
> – des cartons marqués de 6 à 30
>
> ### Déroulement
> Une partie se joue à 4 : 3 joueurs et un caissier.
> Elle se déroule en 3 tours.
>
> Chaque joueur tire un carton et réclame au caissier l'argent indiqué sur le carton.
> Chaque joueur conserve ses cartons pour vérifier ses gains.
>
> Celui qui a le plus d'argent a gagné.

date : ....

2 Thibault a tiré les cartons marqués :
Il a reçu 54 F de la part du caissier.

Est-ce correct ?

Connaître
les nombres

Ermel pages 309 à 315
Guide d'utilisation
page 31

3 Maxime a gagné :

Combien d'argent a-t-il ?

date : ....

4 Hafida a tiré des cartons. Elle a 63 F.

Dessine toutes ses pièces.

5 Valentin a reçu les pièces suivantes :

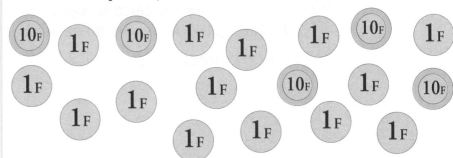

Fais les échanges et dessine ce qu'il a après les échanges.

6 Maryne joue au jeu du caissier.
La première fois, elle tire le carton | 25 |

Dessine les pièces qu'elle doit demander au caissier.

1re demande

La deuxième fois, elle tire le carton | 16 |

Dessine ce qu'elle demande au caissier.

2e demande

Maryne échange toutes les pièces qu'elle peut échanger.

Dessine ce qu'elle obtient après les échanges.

Maryne a : ......

Connaître les nombres

Ermel pages 309 à 315
Guide d'utilisation
page 31

date : ....

7 Pierre joue au jeu du caissier.

Il a déjà :

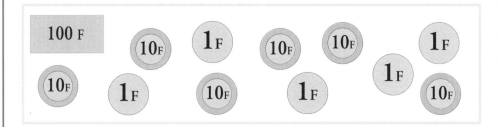

Il gagne :

Il fait les échanges.

Écris ce qu'il possède maintenant.

....

....

8 Stéphanie a joué au jeu du caissier.
À la fin de la partie, elle possède 123 F.

Dessine les pièces qu'elle a obtenues.
Tu dois en dessiner le plus possible.

9 Attention ! Le caissier refuse de donner plus de 9 pièces d'une même sorte.

Écris ou dessine ce que tu dois demander au caissier.

105 F

133 F

402 F

quatre cent vingt-cinq francs

trois cent huit francs

cinquante-six francs

cinq cent quinze francs

450 F

**Connaître
les nombres**

Ermel pages 309 à 315
Guide d'utilisation
page 31

10 Mounia a 257 F.
Elle reçoit deux pièces de 10 F.

Écris ce qu'elle a maintenant.

11 Thibault possède 192 F.
Le caissier lui donne cinq pièces de 10 F.

Écris ce qu'il possède maintenant.

12 Voici la somme d'argent que possède chaque enfant.
Attention ! Un enfant n'a jamais plus de 9 pièces d'une
même sorte.

Stéphanie : 143 F   Maxime : 124 F   Fabienne : 128 F
Xavier : 135 F   Élodie : 34 F   Aurélie : 28 F
Lionel : 44 F   Damien : 40 F   Mélanie : 35 F

a) Chaque enfant compte ses pièces de 10 F.
Qui a 4 pièces de 10 F ?

....

....

b) Chaque enfant compte ses pièces de 1 F.
Qui a 8 pièces de 1 F ?

....

....

c) Qui a 1 billet de 100 F et 4 pièces de 1 F ?

....

....

Connaître
les nombres

Ermel pages 383 à 388
Guide d'utilisation
page 31

Le panneau

■ *Savoir utiliser le double décimètre.*

date : ....

1 *(La consigne de cette activité sera donnée par le maître.)*

D

A

B

C

Passe ta commande.
A mesure : ....
B mesure : ....
C mesure : ....
D mesure : ....

Connaître
les nombres

Ermel pages 383 à 388
Guide d'utilisation
page 31

date : ....

2 Mesure les segments suivants et inscris les résultats dans
le tableau.

AB :	....
BC :	....
DE :	....
FG :	....

3 Trace les segments suivants :

AB = 23 cm   EF = 9 cm et 3 mm

CD = 1 cm et 5 mm   GH = 15 cm et 8 mm

Puis demande à ton voisin de vérifier tes tracés.

Problèmes

Ermel pages 62 à 64
Guide d'utilisation
page 34

Julie va au marché

■ *Savoir poser des questions auxquelles on peut répondre par un calcul.*

date :

a) Lis cet énoncé.
(La consigne du problème sera donnée par le maître.)

Julie va au marché.
Elle a dans son porte-monnaie 6 billets de 20 F,
5 pièces de 10 F et 7 pièces de 2 F.
Elle achète une jupe à 110 F et une ceinture à 32 F.
Elle voit ensuite un pull à 85 F qui lui plaît.

b) Écris les questions retenues par la classe.

date :

c) Julie a-t-elle assez d'argent pour acheter le pull ?

Problèmes

Ermel pages 64 à 66
Guide d'utilisation
page 34

Zoo 1

■ *Trier des questions en 3 catégories.*

date : ....

a) Lis cet énoncé.

25 élèves vont au zoo.
Ils prennent l'autocar à 8 h 30.

Pour le goûter, le maître a acheté 50 F
de bonbons et 70 F de fruits.

Arrivés au zoo, ils lisent l'affiche
ci-contre.

ZOO

Ouvert tous les jours

Adultes   30F
Enfants   15F

date : ....

b) Relis l'énoncé et complète le tableau.

	Je peux répondre : la réponse est dans le texte	Je peux répondre en faisant un calcul	Je ne peux pas répondre
Combien le maître va-t-il payer les entrées ?			
Combien y a-t-il d'enfants dans le zoo ?			
Quel est le prix des bonbons ?			
Le zoo est-il ouvert le samedi ?			

c) Cherche les réponses aux questions qui nécessitent des calculs.

....

....

Calculs
multiplicatifs
et de division

Ermel pages 255 à 259
Guide d'utilisation
page 35

Le jeu des enveloppes

■ *Savoir utiliser l'addition réitérée.*

date : ....

1 Des enfants ont joué au jeu des enveloppes.
Combien de jetons a chaque enfant ?

a) Alexandra a tiré 3 enveloppes de 4 jetons chacune.

....

....

b) Tarik a tiré 5 enveloppes de 5 jetons chacune.

....

....

c) Sophie a tiré 4 enveloppes de 3 jetons chacune.

....

....

date : ....

2 Maxime a joué au jeu des enveloppes.
D'abord, il a tiré 5 enveloppes de 4 jetons chacune,
puis il a tiré 3 enveloppes de 3 jetons chacune.

Combien de jetons a-t-il en tout ?

Connaître
les nombres

Ermel pages 316 à 322
Guide d'utilisation
page 36

Les fourmillions

■ *Utiliser les groupements pour dénombrer rapidement une collection.*

date : ....

1 La maîtresse a des sachets de gommettes.
Voici son stock :

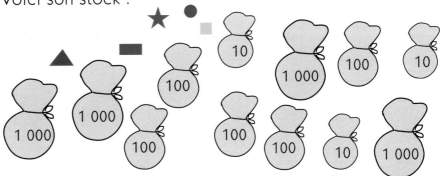

Elle achète d'autres gommettes :

Combien de gommettes la maîtresse a-t-elle en tout ?

....

....

date : ....

2 Anaïs range ses cartes postales dans des pochettes.

Elle possède :
3 pochettes de 100 cartes ;
8 pochettes de 1 000 cartes ;
5 cartes postales et
4 pochettes de 10 cartes.

Son frère lui donne :
4 pochettes de 100 cartes ;
3 cartes postales et
1 pochette de 1 000 cartes.

Combien de cartes postales Anaïs a-t-elle maintenant ?

....

....

Connaître les nombres

Ermel pages 316 à 322
Guide d'utilisation
page 36

3 Marc range ses pièces de collection dans des boîtes.

Il a :

..... boîtes de 100 pièces ;

..... pièces ;

..... boîtes de 1 000 pièces ;

..... boîtes de 10 pièces.

Sa cousine lui donne :

..... boîtes de 1 000 pièces ;

..... boîtes de 10 pièces ;

..... pièces ;

..... boîtes de 100 pièces.

Combien de pièces Marc a-t-il en tout ?

....

....

4 Trouve un moyen de compter le nombre de traits le plus rapidement possible.

10   10   10

Il y a .... traits.

5 Tu veux envoyer 37 lettres.

Le maître va te donner une feuille où il y a des carnets de 10 timbres et des timbres seuls.

Découpe autant de timbres qu'il faut pour expédier toutes tes lettres. Colle sur cette page ce que tu as découpé.

Connaître
les nombres

Ermel pages 316 à 322
Guide d'utilisation
page 36

6 Observe.

Les carrés contiennent
100 carreaux.

Les bandes contiennent
10 carreaux.

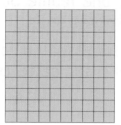

a) Voici des carrés, des bandes et des carreaux.

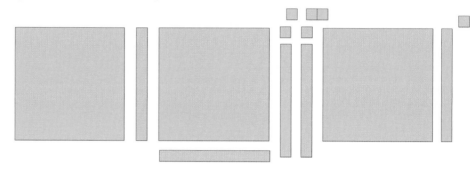

Combien y a-t-il de carreaux ? ....

....

b) Combien faut-il de carrés, de bandes et de carreaux
pour avoir 574 carreaux en tout ?

**Connaître
les nombres**

Ermel pages 389 à 392
Guide d'utilisation
page 36

Le serpent

■ *Savoir ajouter des longueurs.*

date : ....

Mesure ce serpent.
Tu peux écrire
sur le dessin
et à côté du dessin.

Problèmes

Ermel pages 66 à 70
Guide d'utilisation
page 40

La bataille navale

■ *Traiter des informations.*

date : ....

1 Trouve la place du bateau, puis colorie-la.

Le bateau est en :
a5 → non
b2 → oui
b1 → non
b3 → oui

	1	2	3	4	5
a					
b					
c					

2 Trouve la place du bateau, puis colorie-la.

Le bateau est en :
a3 → oui
b4 → non
c3 → oui

	1	2	3	4	5
a					
b					
c					

3 Trouve la place du bateau, puis colorie-la.

Le bateau est en :
a1 → non
a5 → oui
b5 → non
a4 → oui

	1	2	3	4	5
a					
b					
c					

4 Fais une croix dans les cases où se trouve le bateau.

Le bateau est en :
b3 → non
a4 → non
c5 → non
c1 → oui
c2 → non

	1	2	3	4	5
a					
b					
c					

**Période 2
Quinzaine 3**

Calculs additifs
et soustractifs

Ermel pages 208 à 209
Guide d'utilisation
page 41

Les suites de nombres

■ *Apprendre à calculer.*

date : ....

1 Observe et continue. Puis essaie d'écrire la règle.

a) 43 - 46 - 49 - 52 - ...... - ...... - ...... - ...... - ......

On compte de ...... en ......

b) 68 - 64 - 60 - ...... - ...... - ...... - ...... - ......

On compte de ...... en ......

c) 93 - 103 - 113 - ...... - ...... - ...... - ...... - ......

On compte de ...... en ......

2 Qu'est ce qui fait peur à Marc ?
Pour le savoir, relie les points de 101 à 145.

L'addition à trous

■ *Apprendre à calculer.*

date : ....

1 Complète les additions.

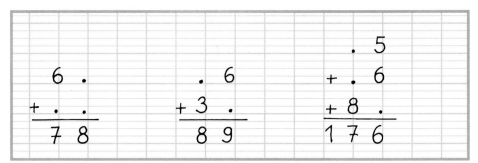

```
  6 .          . 6          . 5
+ . .        + 3 .        + . 6
-----        -----        + 8 .
  7 8          8 9        -----
                          1 7 6
```

```
  5 .          . . 4        . 8
+ 7 4        + 2 6 .      + 6 2
-----        -------      + 3 .
1 . 9          6 0 9      -----
                          1 5 4
```

date : ....

2 Complète les additions.

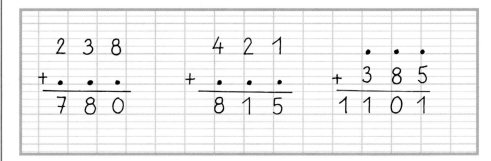

```
  . .          . .        1 4 6
+ 2 6        + 4 6        + . . .
-----        -----        -------
  5 8          9 2          7 9 3
```

```
  2 3 8        4 2 1        . . .
+ . . .      + . . .      + 3 8 5
-------      -------      -------
  7 8 0        8 1 5      1 1 0 1
```

Calculs
multiplicatifs
et de division

Ermel pages 274 à 276
Guide d'utilisation
page 41

Le jeu de Yam

■ *Apprendre à calculer.*

date : ....

1 **a)** Lis la règle du jeu.

RÈGLE DU JEU

Matériel

– 5 dés
– 1 tableau à compléter par joueur

Déroulement

Une partie se joue à 2.
Elle se déroule en 3 tours.

Chaque joueur lance les 5 dés à la fois.
Le premier joueur garde des dés qui ont le même nombre de points. Puis, il relance les dés qui restent car il doit essayer d'avoir le plus de dés possible de la même sorte.
Après le deuxième coup de dés, le joueur doit calculer ses points à l'aide du tableau.
Le deuxième joueur joue à son tour.

À la fin des 3 tours, celui qui a le plus de points a gagné.

b) À toi de jouer !

	Nombre de dés obtenus	Calcul des points
⚀		
⚁		
⚂		
⚃		
⚄		
⚅		
Total des points		

Ermel pages 274 à 276
Guide d'utilisation
page 41

Calçuls multiplicatifs et de division

date : ....

2 Thierry a joué au jeu de Yam. Aide-le à compléter le tableau.

	Nombre de dés obtenus	Calcul des points
(dé 1)	4	....
(dé 2)	....	8
(dé 3)	2	....
(dé 4)	5	....
(dé 5)	....	15
(dé 6)	3	....
Total des points		....

3 Complète le tableau.

	Nombre de dés obtenus	Calcul des points
(dé 1)	3	....
(dé 2)	....	....
(dé 3)	....	9
(dé 4)	4	....
(dé 5)	....	5
(dé 6)	4	....
Total des points		67

**Période 2
Quinzaine 3**

Connaître
les nombres

Ermel pages 322 à 326
Guide d'utilisation
page 41

Les mots-nombres

■ *Comprendre les règles de la numération orale.*

date : ....

1 Note tous les mots qui servent à écrire les nombres de 0 à 100.

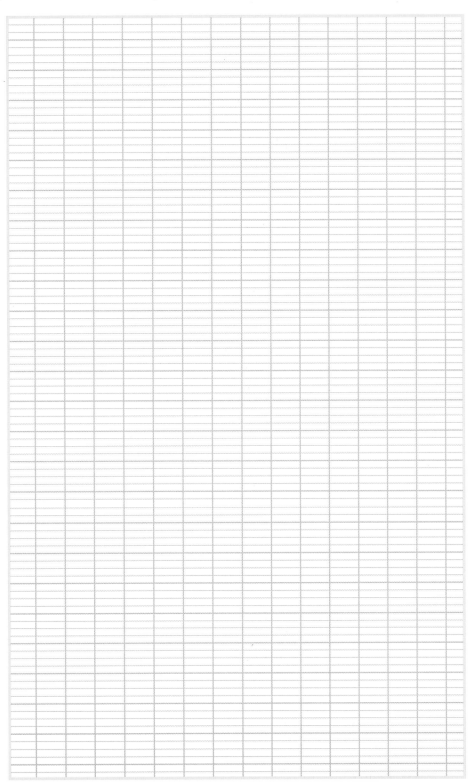

Connaître les nombres

Ermel pages 322 à 326
Guide d'utilisation
page 41

date : ....

2 Voici des numéros de téléphone. Écris-les en chiffres.

a) quarante-cinq – trente-trois – soixante-douze – dix-sept

....

....

b) vingt-six – cinquante – trente-neuf – quinze

....

....

3 Voici un numéro de téléphone. Écris-le en lettres.

73 - 49 - 10 - 93

....

....

4 Relie.

69 •   • quatre-vingt-seize

70 •   • soixante-neuf

43 •   • quarante-trois

96 •   • soixante-dix

5 Voici des nombres : 100 - 7 - 2 - 15 - 10

Replace-les dans cette histoire et écris-les en lettres.

Le petit lutin avait .... frères et .... sœurs.
Ils partirent tous les .... dans la forêt.
Ils ramassèrent .... champignons et .... chataîgnes.
Heureux, ils rentrèrent chez eux.

Connaître
les nombres

Ermel pages 365 à 367
Guide d'utilisation
page 42

Comparaison, ordre

■ *Structurer la suite des nombres.*

date : ....

1 Lis les nombres suivants.

| 210 | | 211 | | 112 | | 221 | | 201 | | 121 |

Colorie en bleu le plus petit nombre, en rouge le plus grand.

2 Range ces nombres du plus petit au plus grand.

a) 7 - 57 - 37 - 47 - 87 - 17

....

b) 920 - 488 - 493 - 99 - 483 - 690

....

3 Dans cette liste de nombres, des chiffres ont été effacés.

| 150 | | . 85 | | 1 . 9 | | 23 . | | 235 |

Complète de façon à obtenir des nombres rangés du plus petit au plus grand.

4 Complète avec le nombre qui vient juste avant et celui qui vient juste après.

| ...... | 79 | ...... | | ...... | 300 | ...... | | ...... | 80 | ...... |

| ...... | 99 | ...... | | ...... | 509 | ...... | | ...... | 630 | ...... |

Période 2
Quinzaine 3

Connaître les nombres

Ermel pages 365 à 367
Guide d'utilisation
page 42

5 Place les nombres sur la corde.

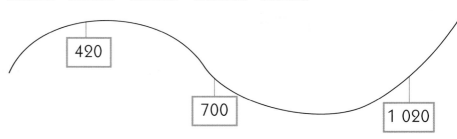

| 832 | 653 | 380 | 1 500 | 975 |

420

700

1 020

date : ....

6 Complète en écrivant « plus petit » ou « plus grand ».

709 est .... que 739

580 est .... que 524

1 230 est .... que 2 030

7 Complète en utilisant les signes < ou >.

243 ...... 432 | 78 87

378 ...... 369 | 1 000 300

8 Complète avec un nombre qui convient.

...... < 80 | ...... > 1 020

...... > 699 | ...... < 2 000

9 Voici des nombres : 218 - 145 - 149 - 153 - 137 - 58.
On peut en placer certains sur cette bande.

Écris-les à la bonne place.

| | | 140 | | | | | | | | 150 |

**Période 2
Quinzaine 3**

Connaître les nombres

Ermel pages 368 à 372
Guide d'utilisation
page 42

Le nombre secret

■ *Comparer des nombres.*

date : ....

1 L'un de ces nombres est le nombre secret.

> 125 - 232 - 93 - 210 - 158

Le nombre secret est :
– plus petit que 200 ;
– plus grand que 100 ;
– plus petit que 150.

Entoure-le.

2 Le code du nombre secret est NS.
Le nombre secret est entre 500 et 700.

| NS > 600 | NS < 650 | NS < 630 | NS > 628 |

Trouve le nombre secret : ....

date : ....

3 L'un de ces nombres est le nombre secret.

> 352 - 325 - 438 - 560 - 700

Le nombre secret est :
– plus grand que 330 ;
– plus petit que 500 ;
– plus grand que 400.

Trouve-le : ....

4 Le nombre secret est entre 300 et 500.

| NS > 300 | NS > 400 | NS < 450 | NS > 430 | NS > 445 |

Quels nombres peuvent être le nombre secret ?

....

Bilan 2

1 Dans une école, il y a 58 filles et 52 garçons.

Combien d'élèves y a-t-il dans cette école ?

2 Marc a 128 billes dans sa boîte. Il en ajoute d'autres. Maintenant, il en a 150.

Combien de billes a-t-il ajoutées ?

3 Un stylo coûte 5 F.
Combien coûtent 4 stylos ?

4 Calcule sans poser l'opération.

43 + 7 = ...   217 + 8 = ...

54 − 4 = ... + 23 = 50

60 − 6 = ...   72 + ... = 80

120 − 20 = ...   215 − 15 = ...

100 = 70 + ...   50 − ..... = 45

5 Geoffrey joue au jeu du caissier.
Il a déjà :

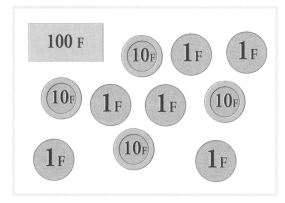

Il gagne :

Écris ce qu'il a maintenant.

....

....

6 **a)** Trace les segments suivants.
AB = 6 cm et 7 mm   CD = 42 mm

b) Mesure les segments suivants.

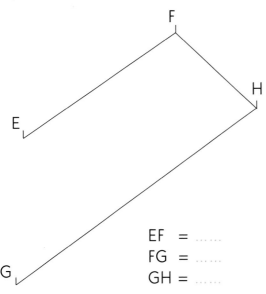

EF = ...
FG = ...
GH = ...

7 Le maître a reçu 7 paquets de 100 feuilles.

Combien de feuilles a-t-il ?

....

8 Le postier a reçu 5 planches de 100 timbres et 8 carnets de 10 timbres.

Combien de timbres a-t-il ?

9 Complète les additions.

```
  3 2 1          5 4 3
+ . . .        + . . .
─────────      ─────────
  5 7 4          7 9 0
```

```
  6 3 4          3 0 4
+ . . .        + . . .
─────────      ─────────
  9 0 2          6 0 8
```

10 Écris en lettres.

27 : ....

42 : ....

71 : ....

85 : ....

Période 3

Problèmes

Ermel pages 70 à 73
Guide d'utilisation
page 48

Le portrait

■ *Savoir prendre en compte les informations données.*

date : ....

1 Le nombre cherché est dans cette liste.

425 - 113 - 703 - 523 - 224

Trouve-le à l'aide des informations données.
– Est-ce qu'il se termine par 3 ? Oui.
– Est-ce que le chiffre des dizaines est 2 ? Oui.

Si tu trouves, donne le nombre : ......

Sinon, pose d'autres questions : ....

....

....

....

....

2 Le nombre cherché est dans cette liste.

242 - 203 - 42 - 25 - 28 - 233

Trouve-le à l'aide des informations données.
– Est-ce qu'il a 3 chiffres ? Non.
– Est-ce qu'il commence par 2 ? Non.

Si tu trouves, donne le nombre : ......

Sinon, pose d'autres questions : ....

....

....

....

....

Période 3
Quinzaine 1

72

Problèmes

Ermel pages 86 à 87
Guide d'utilisation
page 48

Les partages

■ *Faire des essais et les contrôler.*

date : ....

● Lis cet énoncé.

Paul veut partager ...... bonbons en 3 paquets.
Il doit y avoir autant de bonbons dans chaque paquet.

Combien de bonbons y aura-t-il dans chaque paquet ?

Calculs additifs et soustractifs

Ermel pages 140 à 144
Guide d'utilisation
page 48

Déplacements sur piste graduée

■ *Résoudre des problèmes additifs et soustractifs.*

date : ....

1 Marie joue au jeu de la piste.
Son pion est placé sur la position 40. Elle tire le carton 17.

Où va-t-elle poser son pion ?

2 David joue, lui aussi, au jeu de la piste.
Son pion est sur la position 73. Il tire le carton 33.

Où va-t-il poser son pion ?

3 Dominique a tiré le carton 12.
Il arrive sur la position 89.

Cherche où était placé son pion avant qu'il joue.

4 Anaïs tire deux cartons : 15 et 23.
Son pion était sur la position 54.

Où va-t-elle le placer maintenant ?

**Période 3
Quinzaine 1**

Calculs (cartes recto-verso, utilisation d'un catalogue de résultats)

■ *Mémoriser des résultats et savoir les utiliser.*

date : ....

1 Effectue les additions.

9 + 9   = ...   18 + 18 = ...   50 + 50 = ...

12 + 12 = ...   25 + 25 = ...   19 + 19 = ...

15 + 15 = ...   17 + 17 = ...   26 + 26 = ...

---

2 Calcule les opérations.

45 + 10 = ...   93 + 10 = ...   134 − 10 = ...

36 + 10 = ...   112 + 10 = ...   243 − 10 = ...

78 + 10 = ...   89 − 10 = ...   491 + 10 = ...

---

3 Pose et effectue les additions.

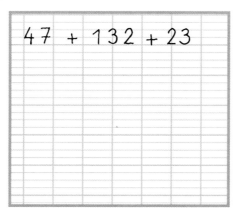

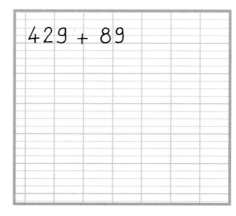

4 Compte de 5 en 5 de 51 à 106.

....

....

Calculs
*multiplicatifs
et de division*

Ermel pages 259 à 263
Guide d'utilisation
page 49

Construction de répertoires multiplicatifs

■ *Établir les équivalences entre les écritures.*

date : ....

1 Écris la multiplication équivalente.

5 + 5 + 5 + 5 + 5 + 5 + 5 = ...

4 + 4 + 4 = ...

2 + 2 + 2 + 2 + 2 + 2 + 2 + 2 + 2 = ...

3 + 3 + 3 + 3 + 3 + 3 = ...

2 Colorie avec une même couleur les écritures qui désignent le même nombre.

| 5 + 5 + 5 + 5 + 5 + 5 | | 21 | | 5 x 4 | | 30 |

| 6 x 3 | | 2 + 2 + 2 + 2 + 2 + 2 + 2 + 2 |

| 4 + 4 + 4 + 4 + 4 | | 6 x 5 | | 2 x 9 |

| 16 | | 2 x 8 | | 6 x 6 | | 3 + 3 + 3 + 3 + 3 + 3 + 3 |

| 24 | | 32 | | 20 |

date : ....

3 Complète les écritures.

4 + 4 + 4 = ... = 3 x 4 = 12

.... = 5 x 2 = ... = ...

3 + 3 + 3 + 3 + 3 = ... = ... = ...

.... = ... = ... = 24

4 Un crayon coûte 3 F.

a) Combien coûtent 3 crayons ?

....

b) Combien coûtent 5 crayons ?

....

c) Combien coûtent 8 crayons ?

....

d) Combien coûtent 10 crayons ?

....

5 **a)** Compte de 2 en 2 de 0 en 20.

....

....

b) Compte de 3 en 3 de 0 à 30.

....

....

c) Compte de 4 en 4 de 0 à 40.

....

....

Problèmes

Ermel pages 87 à 88
Guide d'utilisation
page 54

Les partages

■ *Faire des essais et les contrôler.*

date : ....

● Lis cet énoncé.

La maîtresse veut partager des cubes entre 4 élèves.
Elle a ...... cubes. Elle veut que chaque élève ait autant
de cubes.

Combien de cubes donnera-t-elle à chaque élève ?

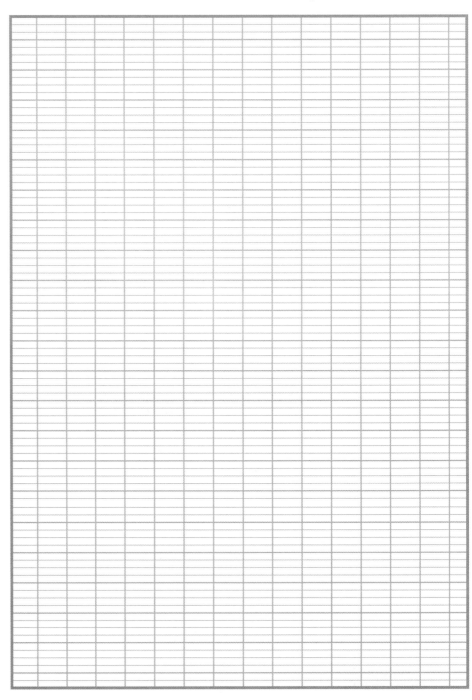

Problèmes

Ermel pages 88 à 90
Guide d'utilisation
page 54

Le rugby

■ *Prendre conscience qu'un problème peut avoir plusieurs solutions.*

date : ....

1 Lis cet énoncé.

Lors d'un match de rugby, une équipe a marqué 18 points.
Un essai rapporte 4 points.
Une pénalité rapporte 3 points.

Comment cette équipe a-t-elle marqué ces 18 points ?

date : ....

2 Lis cet énoncé.

Lors d'un match de rugby, une équipe a marqué ...... points.
Un essai rapporte 4 points.
Une pénalité rapporte 3 points.

Comment cette équipe a-t-elle marqué ces ...... points ?

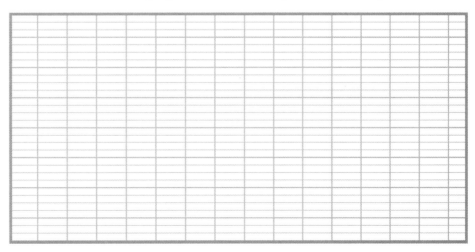

Les œufs

■ *Prendre conscience qu'un problème peut avoir plusieurs solutions.*

date : ....

1 Lis cet énoncé.

Dans un magasin, on peut acheter des œufs par boîte
de 6 œufs ou par boîte de 10 œufs.
Marianne veut acheter 66 œufs.

Combien de boîtes doit-elle prendre ?
Il y a plusieurs solutions, cherche-les.

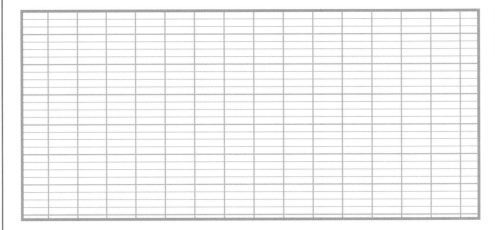

date : ....

2 Lis cet énoncé.

Dans un magasin, on peut acheter des œufs par boîte
de 6 œufs ou par boîte de 10 œufs.
François veut acheter ...... œufs.

Combien de boîtes doit-il prendre ?
Il y a plusieurs solutions, cherche-les.

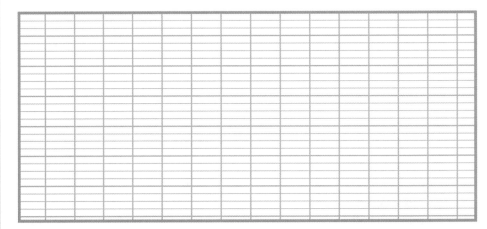

Calculs additifs
et soustractifs

Ermel pages 144 à 145
Guide d'utilisation
page 54

Déplacements sur piste graduée

■ *Résoudre des problèmes additifs et soustractifs.*

date : ....

1 Complète les calculs. Tu peux t'aider de la calculette.

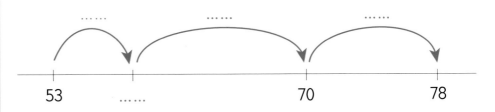

2 Complète les calculs. Tu peux t'aider de la calculette.

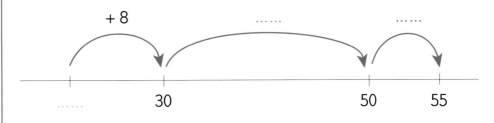

3 Complète les calculs. Tu peux t'aider de la calculette.

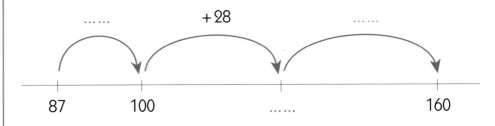

**Période 3
Quinzaine 2**

Calculs
(tournoi de calcul, loto)

■ *S'entraîner à calculer et à mémoriser des résultats.*

| date : | .... |

1 Calcule.

50 – 30 = ...	70 + 30 = ...	30 + 30 = ...
10 + 20 = ...	40 + 20 = ...	80 + ... = 100
40 – 20 = ...	100 – 30 = ...	100 – 10 = ...
50 – 20 = ...	50 + 50 = ...	...... – 10 = 90

2 Complète les calculs.

110 + ... = 200	220 – ...... = 200	300 – ...... = 280
340 + ... = 400	660 – ...... = 600	400 – ...... = 370
650 + ... = 700	770 – ...... = 700	900 – ...... = 890
230 + ... = 300	890 – ...... = 800	800 – ...... = 730

3 Calcule les additions à trous.

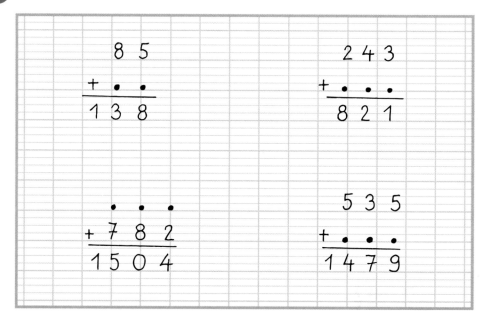

```
    8 5              2 4 3
  + • •            + • • •
  1 3 8            8 2 1

    • • •              5 3 5
  + 7 8 2          + • • •
  1 5 0 4          1 4 7 9
```

Calculs additifs
et soustractifs

Ermel pages 209 à 210
Guide d'utilisation
page 55

Les envahisseurs

■ *Obtenir des nombres terminés par 0 en regroupant des nombres qui vont ensemble.*

date : ....

a) Lis la règle du jeu.

> **R È G L E   D U   J E U**
>
> ### Déroulement
>
> Toute la classe participe à ce jeu.
>
> Une liste de nombres est donnée.
> Avec les nombres de cette liste, chaque joueur doit effectuer des additions ou des soustractions pour obtenir des résultats terminés par 0.
>
> Celui qui a noté le plus de résultats justes, le plus vite possible, a gagné.

b) Voici une liste de nombres :   7 - 13 - 17 - 23 - 47

Voici des exemples : 17 + 13 = 30   17 – 7 = 10

À toi de jouer !

Calculs additifs
et soustractifs

Ermel pages 219 à 222
Guide d'utilisation
page 55

La droite numérique

■ *Utiliser la droite numérique comme support de calculs.*

date : ....

1 Voici une partie de la droite numérique.

18   53
| |

Affiche sur ta calculette le plus petit des 2 nombres.
Sans effacer et en faisant uniquement des additions,
tu dois obtenir le second nombre.
Écris au fur et à mesure tes calculs et représente
les bonds sur la droite.

....

....

....

2 Voici une partie de la droite numérique.

26   61
| |

Affiche sur ta calculette le plus petit des 2 nombres.
Sans effacer et en faisant uniquement des additions,
tu dois obtenir le second nombre.
Écris au fur et à mesure tes calculs et représente
les bonds sur la droite.

....

....

....

Période 3
Quinzaine 2

Calculs
(jeux de bataille, loto, dominos, jeux de cartes)
■ *Mémoriser les tables de multiplication.*

date : ....

1 Calcule.

5 x 3 = ... x 3 = 18   32 = ... x ......

8 x 2 = ... x 5 = 20   36 = ... x ......

3 x 6 = ...   6 x ...... = 12   9 = ... x ......

9 x 4 = ...   9 x ...... = 27   40 = ... x ......

2 Thibault achète 5 pains au chocolat à 3 F l'un.

Combien dépense-t-il ?

3 Avec 35 F, combien de crayons à 5 F l'un peux-tu acheter ?

4 Range les écritures d'un même nombre par colonnes .

5 x 8	6 x 5	4 x 4	3 x 8	9 x 4	8 x 6
4 x 12	12 x 3	10 x 4	12 x 2	8 x 5	8 x 3
24 x 2	16 x 1	3 x 10	3 x 12	2 x 8	15 x 2

| 16 | 24 | 30 | 36 | 40 | 48 |

Connaître les nombres

Ermel pages 331 à 335
Guide d'utilisation
page 56

Les mini-tartare

■ *Savoir extraire le nombre de dizaines d'un nombre.*

date : ....

1 On distribue des mini-tartare à la cantine.

a) Avec 8 boîtes de 10 portions de fromage, combien d'élèves peut-on servir ?

....

....

b) Avec 12 boîtes de 10 portions de fromage, combien d'élèves peut-on servir ?

....

....

2 À la cantine, il y a 234 élèves.

Combien de boîtes de 10 portions de fromage faut-il ?

3 Avant le repas, il y avait 3 paquets de 100 portions de fromage.
Après le repas, il reste 2 portions et une boîte de 10 portions de fromage.

Combien de portions de fromage ont été mangées ?

Le jeu des 4 chiffres

■ *Comprendre que suivant le rang un chiffre n'a pas la même valeur.*

date : ....

1 Avec les chiffres `3` `0` `6` `7` , trouve au moins
5 nombres différents et range-les du plus petit au plus grand.

Écris les nombres : ....

....

Puis range-les : ....

....

2 Avec les chiffres `2` `6` `5` `3` , j'ai déjà trouvé
les nombres suivants : 3256 - 2536 - 6532.
Trouve encore d'autres nombres, puis range-les tous
du plus petit au plus grand.

Écris les nombres : ....

....

Puis range-les : ....

....

3 Avec les chiffres `1` `9` `8` `0` , Xavier a trouvé
les nombres suivants : 1098 - 0199 - 9088 - 1111 - 8019.
Il les a rangés ainsi : 1098 - 1111 - 0199 - 9088 - 8019.
Trouve ses erreurs et écris les nombres dans l'ordre.

....

....

**Période 3
Quinzaine 2**

87

Problèmes

Ermel pages 90 à 91
Guide d'utilisation
page 60

La monnaie

■ *Trouver plusieurs solutions.*

date : ....

1 Lis cet énoncé.

Comment faire la monnaie de 100 francs avec des billets de 50 francs, de 20 francs et des pièces de 10 francs ?
Cherche plusieurs possibilités.

date : ....

2 Lis cet énoncé.

Comment faire la monnaie de 200 francs avec des billets de 100 francs, de 50 francs et de 20 francs ?
Cherche plusieurs possibilités.

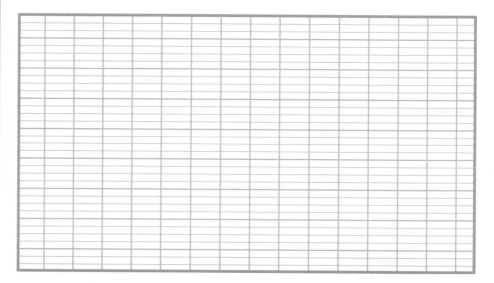

**Période 3
Quinzaine 3**

Calculs additifs
et soustractifs

Ermel pages 192 à 194
Guide d'utilisation
page 60

Le jeu de la cible
(la cible des dizaines)

■ *Étendre le répertoire additif aux multiples de 10.*

date : ....

1 Choisis 3 cartes pour atteindre la cible. Écris tes calculs.
Il peut y avoir plusieurs solutions.

a)

Cible	Cartes
80	10 - 10 - 20 - 20 - 40 - 50 - 60

....

....

b)

Cible	Cartes
200	30 - 30 - 40 - 40 - 50 - 50 - 60 - 60 70 - 70 - 80 - 80 - 100 - 120 - 140

....

....

2 La 1re et la 2e carte ont été choisies. Entoure la 3e carte.

Cible	1re carte	2e carte	3e carte
150	100	10	50 - 30 - 40 - 10
120	60	40	10 - 30 - 40 - 20
90	10	40	30 - 40 - 50 - 20

Vérifie tes calculs.

....

....

Les mots chiffrés

■ *Savoir regrouper des nombres qui vont bien ensemble pour calculer vite.*

date : ....

ET SI LES LETTRES TE FAISAIENT CALCULER !

Chaque lettre a une valeur.

A : 2	F : 16	K : 3	P : 11	U : 19
B : 13	G : 17	L : 5	Q : 7	V : 1
C : 8	H : 14	M : 20	R : 21	W : 23
D : 15	I : 6	N : 9	S : 22	X : 32
E : 4	J : 18	O : 10	T : 12	Y : 45
				Z : 0

1 Calcule la valeur du mot.

MARDI ....

....

2 Écris ton prénom et calcule sa valeur.

_ _ _ _ _ _ _ _ : ....

....

3 Trouve un mot de 4 lettres qui vaut moins de 30 points.

_ _ _ _ : ....

....

4 Trouve un mot de 4 lettres qui vaut 100 points.

_ _ _ _ : ....

Calculs additifs
et soustractifs

Ermel pages 222 à 227
Guide d'utilisation
page 61

La droite numérique

■ *Utiliser la droite numérique pour calculer.*

date : ....

1 En utilisant la droite numérique, cherche combien il faut ajouter à 34 pour obtenir 195.

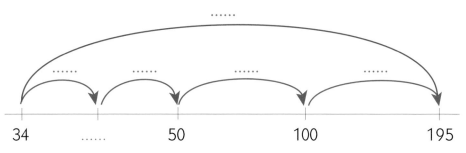

Complète le calcul.

34 + ... = 195

---

2 Pour chercher combien il faut ajouter à 53 pour aller à 105, un élève a utilisé la droite numérique. Mais certains nombres ont été effacés. Écris-les.

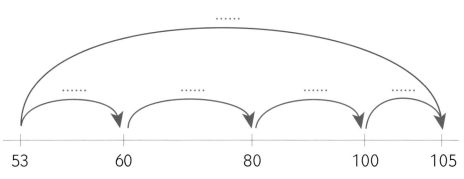

Complète le calcul.

53 + ... = 105

Calculs
multiplicatifs
et de division

Ermel page 278
Guide d'utilisation
page 61

Calcul de répertoires

■ *Élaborer les répertoires en utilisant des résultats déjà connus.*

date : ....

1 Amélie joue au jeu de la marchande.
Elle vend des Pin's. Chaque Pin's coûte 7 F.
Attention ! Elle n'a pas de calculette et elle ne connaît
que quelques résultats de la table de 7.

À partir de ces résultats, aide Amélie à trouver le plus
possible de nouvelles réponses et écris-les dans le tableau.

Résultats connus
$4 \times 7 = 28$
$7 \times 7 = 49$
$8 \times 7 = 56$
$10 \times 7 = 70$

Nombre de Pin's à 7 F l'un	Prix correspondant
2	......
5	......
......	63
......	77
14	......

date : ....

2 Relie chaque jeton à la case correspondante sur le carton
de loto.

49   27   18   35   32   44

5 x 7	7 x 7		4 x 8
	2 x 9	3 x 9	
6 x 6		6 x 4	7 x 3
8 x 3	9 x 5		

36   24   50   45   21   39

Connaître
les nombres

Ermel pages 335 à 338
Guide d'utilisation
page 61

Le caissier 2
(le caissier encaisse)

■ *Savoir effectuer des échanges.*

date : ....

1 Julien a dans son porte-monnaie :

100 F   (10 F)   **1** F   **1** F   (10 F)   100 F

(1 F)   **1** F   100 F   **1** F

Il dépense 34 F.
Trouve ce qui lui reste après ses achats.

2 Camille a 485 F en billets de 100 F et en pièces de 10 F
et de 1 F.
Elle dépense 23 F chez le boulanger et 47 F
chez le charcutier.

Combien de pièces et de billets lui reste-t-il ?

Les mesures

■ *Savoir encadrer des mesures de longueur.*

`date :` ....

1 Colorie la réponse qui te semble possible.
Tu dois répondre sans mesurer.

Un stylo mesure : | 5 cm | | 16 cm | | 50 cm |

Une chaussure mesure : | 1 m | | 40 cm | | 20 cm |

La hauteur d'une classe est de : | 4 m | | 1 km | | 10 m |

2 Mesure les baguettes de couleur.

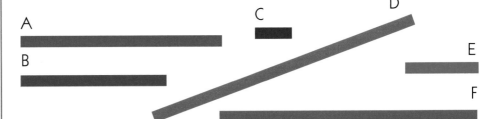

Écris leur mesure exacte.

| A | : ...... | C | : ...... | E | : ......

| B | : ...... | D | : ...... | F | : ......

3 Le segment cherché mesure plus de 9 cm et moins de 11 cm.

Trouve-le : ......

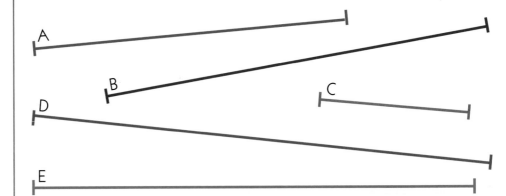

Bilan 3

1 Line joue au jeu de la piste. Son pion est sur la case 37. Elle tire le carton 17.

Où va-t-elle poser son pion ?

3 Écris une multiplication équivalente.

5 + 5 + 5 = ...

4 + 4 + 4 + 4 + 4 = ...

2 + 2 + 2 + 2 = ...

3 + 3 + 3 + 3 + 3 + 3 = ...

4 Calcule.

4 x 3 = ...	9 x 2 = ...
5 x 5 = ...	6 x 3 = ...
10 x 2 = ...	3 x 7 = ...
3 x 3 = ...	2 x 2 = ...
4 x 4 = ...	5 x 0 = ...

2 Sory joue au jeu de la piste. Il tire le carton 10. Il pose son pion sur la case 48.

Où était placé son pion avant qu'il joue ?

5 Pose et calcule.

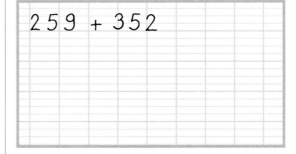

259 + 352

503 + 23 + 142

95

6 Effectue les opérations.

7 Stéphanie achète 6 croissants à 4 F l'un.
Combien dépense-t-elle ?

8 Avec 40 F, combien d'albums de jeux à 8 F pièce peut acheter Marie ?

9 a) Avec les chiffres 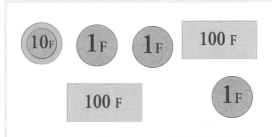,
écris tous les nombres possibles de 3 chiffres.

....

....

b) Maintenant, range-les du plus petit au plus grand.

....

....

10 Marc a dans son porte-monnaie :

Il dépense 27 F.
Cherche ce qui lui reste après son achat.

Période 4

Problèmes

Ermel pages 74 à 77
Guide d'utilisation
page 66

La carte géographique

■ *Sélectionner des informations.*

date : ....

1 Lis cette carte de France et réponds aux questions.

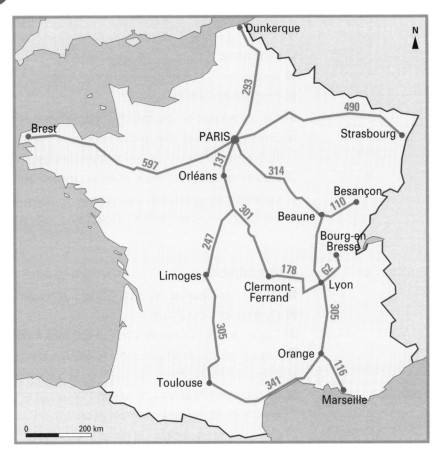

a) Quelle est la distance entre Paris et Brest ? ....

b) Par quelles villes passes-tu pour aller de Paris à Orange ?
Propose 2 itinéraires différents.

....

....

c) À partir des informations données sur la carte, propose

deux noms de ville à ton voisin : ....

Puis demande-lui de trouver un itinéraire.

....

....

date : ....

2 Lis cette carte régionale et réponds aux questions.

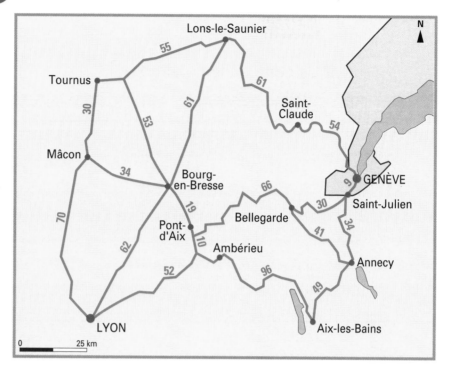

a) Entoure la ville la plus proche de Bourg-en-Bresse :
Tournus – Lons-le-Saunier – Mâcon – Pont-d'Aix.

b) Repère un itinéraire possible pour aller de Genève à
Lyon. Repasse-le en noir sur la carte. Puis, écris le nom
des villes traversées.

....

....

c) Quel est le plus court trajet pour aller d'Annecy
à Pont-d'Aix ? Justifie ta réponse.

....

....

La fiche horaire

■ *Sélectionner des informations.*

date : ....

1° Lis cette fiche horaire SNCF.

Numéro de train		364/5	6138/9	6425	343/2	5696/7	5692/3	6197/6
Notes à consulter		1	2	3	4	5	6	7
Paris-Gare-de-Lyon	D							
Dijon-Ville	D							00.47
Macon-Ville	D							
Satolas TGV	D							
Lyon-Part-Dieu	D							
Lyon-Perrache	D							02.45
Valence Ville	D					03.17	03.17	03.57
Avignon	D					04.46	04.46	05.12
Arles	D	03.58				05.07	05.07	
Marseille-St-Charles	D	05.02	05.38	05.52	06.15	06.20	06.20	06.34
Cannes	A	07.06	07.47	08.06	08.30	08.36	08.36	08.40
Juan-les-Pins	A		07.58			08.47	08.47	
Antibes	A	07.22	08.03	08.18	08.43	08.52	08.52	08.55
Cagnes-sur-Mer	A							09.05
Nice-Ville	A	07.42	08.22	08.37	09.00	09.11	09.11	09.16

Numéro de train		6136/7	6220/1	6208/9	54053	5285	58112/3	801 TGV	54057	57151	59253	59253	803 TGV
Notes à consulter		8	9	10	11	12	13	14	15	11	16	17	18
Paris-Gare-de-Lyon	D												06.56
Dijon-Ville	D	00.50								05.18			|
Macon-Ville	D				05.35				06.23	06.47			|
Satolas TGV	D												|
Lyon-Part-Dieu	D				06.29				06.45	07.28			|
Lyon-Perrache	D	02.50	03.32	03.49	06.36				07.35	07.49			|
Valence Ville	D	04.02	04.48	05.07				07.29					09.23
Avignon	D	05.13	05.57	06.07		07.15		08.24					10.23
Arles	D		06.22	06.30		08.05	08.17						|
Marseille-St-Charles	D	06.39	07.31	07.28		09.00	09.17		09.30	09.40			11.17
Cannes	A	08.47	09.37	09.31							11.31	11.55	
Juan-les-Pins	A		09.48	09.42									
Antibes	A	09.04	09.53	09.48							11.41	12.05	
Cagnes-sur-Mer	A										11.49	12.14	
Nice-Ville	A	09.20	10.11	10.05							12.00		12.25

1. 2ᵉ CL certains jours- [symbole].

2. Circule : jusqu'au 20 mai : les sam sauf le 12 nov;Circule les 11 nov et 25 mai- 2ᵉ CL- [symbole].

3. Circule : jusqu'au 22 mai : les lun, sam sauf les 31 oct, 12 nov, 17 avr, 1er et 8 mai;Circule les 2, 11 nov, 18 avr, 2, 9 et 25 mai- [symbole] 2ᵉ CL- [symbole].

4. [symbole] assuré certains jours.

5. Circule : tous les jours sauf les lun et sauf les 25 sept, 2, 12 nov, 18 avr, 2, 9 et 26 mai.

6. Circule : les lun et les 2, 12 nov, 18 avr, 2, 9 et 26 mai.

7. Circule : tous les jours sauf le 25 sept- 2ᵉ CL- [symbole] 2ᵉ temporaire- [symboles].

8. 1ʳᵉ CL certains jours- [symbole] temporaire- EA certains jours- [symbole].

9. Circule : les 1er, 8 et 15 oct;du 22 au 29 oct : les mer, jeu, ven et sam;du 30 oct au 7 nov et du 21 déc au 4 jan : tous les jours;du 24 fév au 12 mars et du 14 avr au 1er mai : les lun, ven, sam et dim;à partir du 6 mai : les sam, dim et fêtes et le 26 mai- 2ᵉ CL- [symbole].

10. Circule : jusqu'au 25 oct : tous les jours sauf les sam et sauf le 25 sept;Circule du 8 nov au 20 déc et du 5 jan au 23 fév : tous les jours;du 28 fév au 9 mars : les mar, mer et jeu;du 13 mars au 13 avr : tous les jours;du 18 avr au 4 mai : les mar, mer et jeu;du 5 au 24 mai : tous les jours sauf les sam, dim et fêtes- 2ᵉ CL.

11. Circule : tous les jours sauf les sam, dim et fêtes.

12. Circule : tous les jours sauf les dim et fêtes- 2ᵉ CL-. AUTOCAR.

13. [symbole vélo].

14. [symboles].

15. Circule : les sam- [symbole vélo].

Nota : L'office de tourisme de Paris assure l'information touristique, la réservation hotelière, la vente de cartes : musées, transport, téléphone

date : ....

2 Monsieur Roland habite à Valence. Il veut aller à Nice. Il souhaite arriver avant 10 heures, le 25 septembre.

Quels trains peut-il prendre ?
Inscris les numéros de trains possibles.

....

....

....

....

Calculs additifs et soustractifs

Ermel pages 145 à 148
Guide d'utilisation
page 66

Problèmes à énoncés

■ *Résoudre des problèmes additifs et soustractifs.*

date : ....

1 Alain, un élève de la classe, est né en 1986.

Quel âge a-t-il maintenant ?

....

....

2 Céline, la sœur d'un élève de la classe a 12 ans.

En quelle année est-elle née ?

....

....

3 Cédric a ramassé 72 coquillages. Claude en a ramassé 108.

Combien de coquillages Claude a-t-il en plus ?

....

....

4 Aline a invité des amis à son goûter d'anniversaire.
Lorsque tout le monde est autour de la table,
Aline compte 18 filles et 6 garçons.

Combien d'enfants sont assis autour de la table ?

....

....

Calculs additifs et soustractifs

Ermel pages 145 à 148
Guide d'utilisation
page 66

5 Voici un ticket de caisse sur lequel un nombre a été effacé. Écris-le. Vérifie tes calculs.

....

....

....

Calculs (cartes recto-verso, utilisation d'un catalogue de résultats)

■ *Mémoriser des résultats et savoir les utiliser.*

date : ....

1 Calcule rapidement.

25 + 100 = ...	100 + 52 = ...	.... + 100 = 235
36 + 100 = ...	100 + 117 = ...	72 + ... = 172
124 + 100 = ...	198 − 100 = ...	219 − 100 = ...

2 Calcule.

200 + 400 = ...	230 + ... = 300	600 − 300 = ...
700 + 300 = ...	230 + ... = 400	680 − 300 = ...
1 300 − 300 = ...	680 + 120 = ...	700 + 900 = ...

3 **a)** Compte de 6 en 6 de 0 à 60 : ....

....

b) Compte de 6 en 6 de 120 à 172 : ....

....

Les factures

■ *Faire le lien entre addition réitérée et multiplication.*

date : ....

1 Tu vas passer une commande, mais attention !
— Tu ne peux choisir qu'une seule sorte de jouet et tu dois en prendre le plus possible.
— Ta commande ne doit pas dépasser 200 F.
— Tu dois calculer ce qui te restera après l'achat.

Robot : 28 F

Ours en peluche : 29 F

Poupée : 33 F

Voiture : 25 F

Maquette : 27 F

a) Remplis ton bon de commande.

Bon de commande
J'ai .... francs.
Je commande : .... à .... F l'un.
Je dépense : ....
Il me reste : ....

b) Note tes calculs (avec ou sans calculette).

....

....

....

Calculs multiplicatifs et de division

Ermel pages 264 à 270
Guide d'utilisation
page 67

date : ....

2 Tu vas passer une commande, mais attention !
– Tu ne peux choisir qu'une seule sorte d'objet et tu dois en prendre le plus possible.
– Ta commande ne doit pas dépasser ....
– Tu dois calculer ce qui te restera après l'achat.

Mappemonde : 60 F

Boîte de peinture : 57 F

Stylo : 45 F

Calculette : 25 F

a) Remplis ton bon de commande.

Bon de commande
J'ai .... francs.
Je commande : .... à .... F l'un.
Je dépense : ....
Il me reste : ....

b) Note tes calculs (avec ou sans calculette).

....

....

....

Connaître les nombres

Ermel pages 363 à 365
Guide d'utilisation
page 68

Le plus près

■ *Situer les nombres les uns par rapport aux autres.*

date : ....

1 Entoure le nombre qui est le plus près du nombre bleu.

300 168 ou 315   250 230 ou 280

300 250 ou 346   600 354 ou 636

400 350 ou 410   200 178 ou 205

250 215 ou 265   1000 980 ou 1005

2 Écris le signe qui convient > ou < ou =.

487 387   100 + 70 ...... 50 + 50 + 50 + 20

517 477   908 ...... 700 + 218

3 Complète avec un nombre qui convient.

60 > ......   200 > ....

98 < ......   184 < ....

...... > 77 ......   100 + 34 > ....

132 > ......   200 + 50 + 3 < ....

4 Écris les nombres du plus petit au plus grand.

234 - 814 - 432 - 324 - 184 - 243

....

....

Connaître les nombres

Ermel pages 403 à 404
Guide d'utilisation
page 68

Les mesures

■ *Calculer sur les longueurs.*

date : ....

1 Calcule la moitié des longueurs suivantes.

14 cm : .... | 10 cm et 8 mm : ....

30 cm : .... | 12 cm et 6 mm : ....

15 cm : .... | 9 cm : ....

2 Pierre et Paul font chacun une banderole.
– Pierre a cousu bout à bout : 20 cm de bande bleue, 40 cm de bande rouge, 15 cm de bande verte et 18 cm de bande orange.
– Paul a cousu bout à bout : 22 cm de bande bleue, 38 cm de bande rouge, 18 cm de bande verte et 17 cm de bande orange.

Qui a la plus grande banderole ?

....

....

....

3 Complète.

80 cm + ... = 1 m | 4 mm + ... = 1 cm

30 cm + ... = 1 m | .... + 7 mm = 1 cm

.... + 25 cm = 1 m | 7 cm 5 mm + ... = 8 cm

2 mm + ... = 1 cm | 25 cm + ... = 30 cm 6 mm

**Période 4
Quinzaine 1**

Problèmes

Ermel pages 77 à 79
Guide d'utilisation
page 72

Thomas dans un grand magasin

■ *Savoir poser des questions pertinentes et savoir trier les informations.*

date : ....

a) Lis cet énoncé.

Thomas entre dans un grand magasin. Il est 9 h.
Il a 86 F dans son porte-monnaie.
Il choisit des petites voitures.
Le prix est marqué : 12 F la voiture.
La caissière lui demande 36 F.
Au rayon des jeux de construction, Thomas achète une
boîte de Lego à 25 F.
Il regarde ensuite le prix des feutres. Un feutre coûte 4 F,
il en choisit 5.
Il sort. À la pendule du magasin, il est 9 h 45.
Il se dépêche et arrive chez lui à 10 h.

b) Écris une ou plusieurs questions auxquelles tu peux
répondre en faisant un ou des calculs.

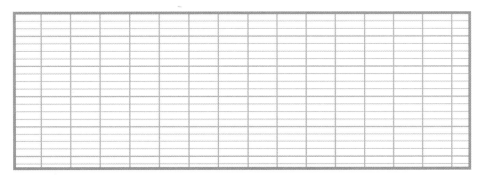

date : ....

c) Cherche avec tes camarades la réponse à la question
suivante : combien Thomas a-t-il dépensé en tout ?

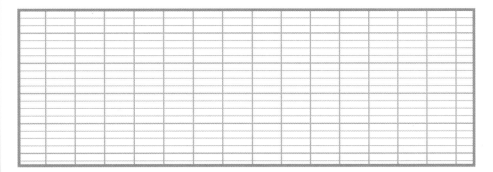

**Période 4
Quinzaine 2**

Problèmes

Ermel pages 80 à 81
Guide d'utilisation
page 72

Zoo 2

■ *Savoir poser des questions pertinentes et savoir trier les informations.*

date : ....

a) Lis cet énoncé.

> Dimanche, monsieur et madame Dupont
> ont décidé d'aller au zoo avec leurs
> 2 filles et leurs 3 garçons.
> Ils partent de bonne heure car le zoo
> ouvre à 9 heures.
> Pour le repas, madame Dupont a préparé
> un pique-nique.
> Elle a acheté des chips à 25 F,
> du jambon pour 32 F, du pain pour 5 F
> et des fruits pour 30 F.
> Arrivés au zoo, ils lisent les affiches
> ci-contre.

ENTRÉE

Tous les jours sauf le lundi

Adultes 25F
Enfants 10F

Groupes
(à partir de 10 personnes)
8F par personne

BOISSONS

Coca-cola 5F
Grenadine 3F
Limonade 5F
Café 4F

b) Réponds en mettant une croix dans la bonne case.

	Je peux répondre : la réponse est dans le texte	Je peux répondre en faisant un calcul	Je ne peux pas répondre
À quelle heure les Dupont vont-ils rentrer chez eux ?			
Combien vont-ils payer pour entrer au zoo ?			
Combien madame Dupont a-t-elle dépensé pour le pique-nique ?			
Quel est le prix des fruits ?			
À quelle heure ferme le zoo ?			
Combien vont-ils dépenser pour les boissons ?			
Est-ce que le zoo est ouvert tous les jours ?			

c) Combien madame Dupont a-t-elle dépensé pour le pique-nique ?

....

Calculs additifs
et soustractifs

Ermel pages 145 à 148
Guide d'utilisation
page 72

Problèmes à énoncés

■ *Résoudre des problèmes additifs et soustractifs.*

date : ....

1 Un enfant est né en 1983.

a) En quelle année aura-t-il 15 ans ?

....

....

b) En quelle année aura-t-il 20 ans ?

....

....

2 Monsieur Durand est né en 1935.

Quel âge a-t-il maintenant ?

....

....

3 Laurent et Denis ont ramassé des coquillages.
Denis en a ramassé 92. Il en a 45 de plus que Laurent.

Combien de coquillages Laurent a-t-il ramassés ?

....

....

**Période 4
Quinzaine 2**

Calculs additifs et soustractifs

Ermel pages 145 à 148
Guide d'utilisation
page 72

4 Christophe regarde le parking de sa résidence.
Il y a dix-sept voitures : des noires et huit rouges.

Combien y a-t-il de voitures noires ?

....

....

5 Entre Paris et Lyon, un automobiliste voit ces panneaux.

◁ **190 km LYON**   **PARIS 265 km** ▷

Trouve la distance entre Paris et Lyon.

....

Calculs additifs et soustractifs

Ermel page 170
Guide d'utilisation
page 72

Le tournoi de calcul

■ *Mémoriser des résultats et savoir les utiliser.*

date : ....

Calcule.

130 + ...= 200	330 − .... = 300
820 + ...= 900	450 − .... = 400
740 + ...= 800	510 − .... = 500
660 + ...= 700	570 − .... = 500
100 − ....= 90	400 − .... = 370
700 − ....= 640	800 − .... = 730

**Période 4
Quinzaine 2**

Calculs
multiplicatifs
et de division

Ermel page 279
Guide d'utilisation
page 73

La calculette

■ *Calculer le plus rapidement possible des sommes dans lesquelles plusieurs termes sont répétés.*

date : ....

1 Transforme les additions et utilise ta calculette pour trouver le résultat.

25 + 25 + 25 + 25 = ...

121 + 121 + 121 = ...

15 + 15 + 15 + 15 + 15 + 15 = ...

2 Transforme les additions en utilisant les signes X et +.
Puis trouve le résultat à l'aide de ta calculette.

12 + 12 + 21 + 21 + 21 = ...

....

13 + 13 + 17 + 13 + 17 + 17 + 13 = ...

....

22 + 38 + 42 + 42 + 42 + 38 + 22 + 22 + 22 = ...

....

3 Transforme les produits en utilisant le signe +.
Puis calcule le résultat à l'aide de ta calculette.

4 x 135 = ...

7 x 72 = ...

36 x 3 = ...

(4 x 32) + (3 x 29) = ...

Calculs
multiplicatifs
et de division

Ermel pages 280 à 281
Guide d'utilisation
page 73

Vers l'algorithme de la multiplication

■ *Utiliser la technique de la multiplication.*

date : ....

1 Calcule.

4 x 4 = ...	8 x 5 = ...	6 x 4 = ...
7 x 3 = ...	3 x 2 = ...	3 x 8 = ...
6 x 2 = ...	5 x 3 = ...	7 x 3 = ...
3 x 3 = ...	5 x 5 = ...	6 x 6 = ...

2 Effectue les multiplications.

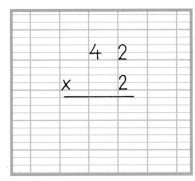

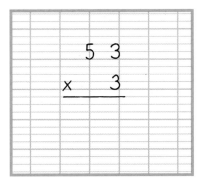

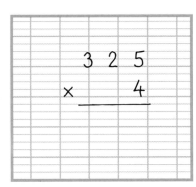

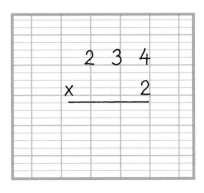

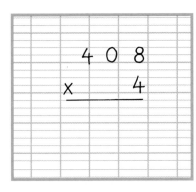

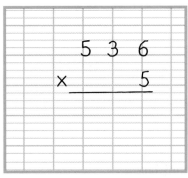

Connaître
les nombres

Ermel pages 374 à 375
Guide d'utilisation
page 73

Le compte est bon

■ *Établir des relations entre les nombres pour calculer.*

date : ....

1 **a)** Lis la règle du jeu.

> **R È G L E   D U   J E U**
>
> ### Matériel
>
> – 5 cartons avec des nombres sont affichés
> – un nombre-cible est donné par le maître
>
> ### Déroulement
>
> Toute la classe participe à ce jeu.
>
> En utilisant l'addition, la soustraction et la
> multiplication, chaque joueur doit atteindre
> le nombre-cible ou s'en approcher le plus possible.
> Le joueur n'est pas obligé d'utiliser tous les nombres, mais
> il ne peut pas prendre le même carton plusieurs fois.
> Le joueur note ses calculs qui seront vérifiés par la classe.
> Le temps est limité et le joueur n'a pas droit à la
> calculette.
>
> Le premier qui a trouvé le nombre-cible a gagné.

b) Le maître va te faire jouer avec tes camarades.

date : ....

2 Dans une partie du compte est bon :

– le nombre-cible est : 245

– les cartons tirés sont : 4   25   50   30   10

Note tes calculs pour atteindre la cible.

Problèmes

Ermel pages 81 à 83
Guide d'utilisation
page 76

Le voyage en avion

■ *Savoir trier les informations utiles pour répondre à une question.*

date : ....

1 Lis cet énoncé.

Tous les jours, un avion part de Paris pour aller à Tokyo.
Il peut transporter 400 passagers.
Aujourd'hui, il part avec un quart d'heure de retard,
225 passagers sont à bord. Il y a aussi 10 hôtesses, le pilote
et le mécanicien.
L'avion s'arrête pendant une heure à Bombay en Inde :
75 passagers descendent et 24 autres montent dans l'avion.
L'arrêt suivant est Singapour : 34 passagers quittent l'avion
et 142 passagers montent.
Arrivés à Tokyo, après 3 heures de vol, tous les passagers
débarquent.

Combien de personnes y a-t-il dans l'avion à l'arrivée ?

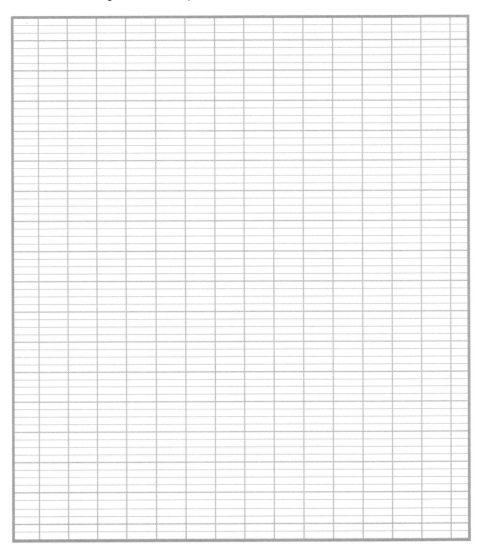

2 Lis cet énoncé.

Sortie en autobus

Aujourd'hui, les élèves d'une classe vont au parc en autobus.
À 14 heures, ils prennent l'autobus 43 à l'arrêt de la Mairie.
Il y a 25 élèves accompagnés par leur maîtresse.
Dans l'autobus, il y a déjà 32 personnes et le conducteur.
À l'arrêt « Le Stade », 15 personnes descendent
et 23 montent.
Enfin, l'autobus arrive au parc et tout le monde descend.
C'est le terminus. Il est 15 h 30.

Combien de personnes descendent au terminus ?

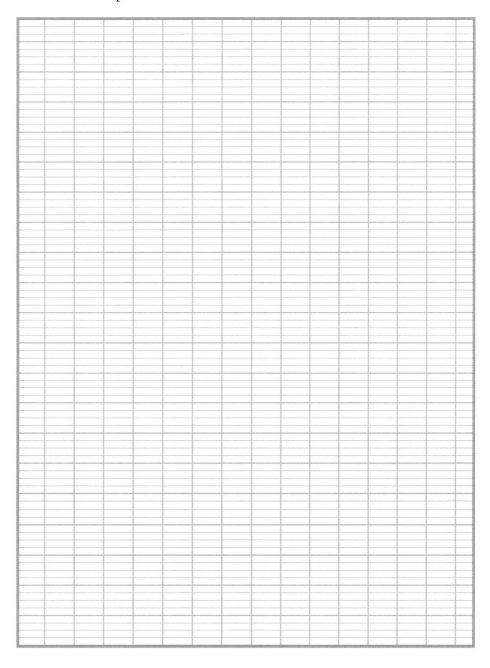

Problèmes

Ermel pages 81 à 83
Guide d'utilisation
page 76

date : ....

3 Lis cet énoncé.

Le TGV

Chaque jour, plusieurs trains vont de Marseille à Paris.
Le train qui part à 8 heures est un TGV.
Il peut transporter 600 voyageurs.
Aujourd'hui, il part avec 10 minutes de retard.
Au départ, 250 personnes montent dans le train.
Il y a aussi le conducteur et deux contrôleurs.
Le train s'arrête 5 minutes à Lyon.
85 passagers descendent du train et 132 autres passagers montent dans le train.

Combien de personnes y a-t-il dans le train à son arrivée à Paris ?

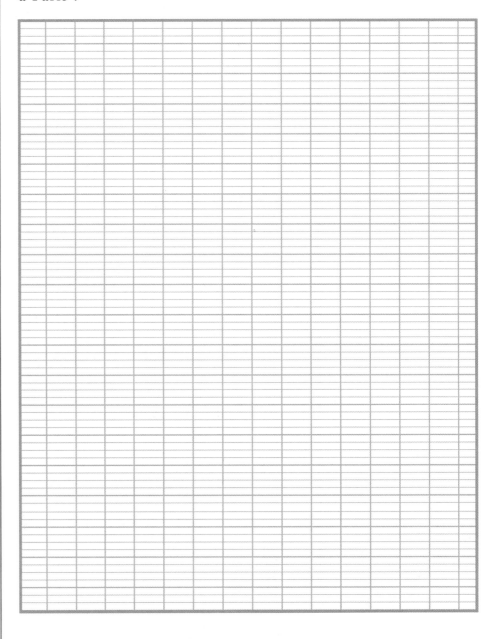

Calculs additifs
et soustractifs

Ermel pages 145 à 148
Guide d'utilisation
page 76

Problèmes à énoncés

■ *Résoudre des problèmes additifs et soustractifs.*

date : ....

1 La grand-mère de monsieur Plume est née en 1865.

Quel était son âge en 1900 ?

....

....

2 En 1910, le grand-père de madame Lebon avait 35 ans.

En quelle année est-il né ?

....

....

3 Julie a ramassé 67 coquillages. Luc en a ramassé 99.

Combien de coquillages Luc a-t-il en plus ?

....

....

4 Monsieur Bricolo veut poser des carreaux dans sa cuisine.
Il lui faut 440 carreaux, des bleus et des noirs.
Il a déjà acheté tous les carreaux noirs : il y en a 68.
Il a aussi acheté 110 carreaux bleus.

Combien de carreaux bleus doit-il encore acheter ?

....

....

Calculs additifs
et soustractifs

Ermel pages 194 à 196
Guide d'utilisation
page 76

Le jeu de la cible
(la cible des centaines)

■ *Étendre le répertoire additif aux multiples de 100.*

date : ....

1 Choisis 3 cartes pour atteindre la cible.
Il peut y avoir plusieurs solutions.

Cible	Cartes
500	100 - 200 - 300 - 100 - 400 - 200
700	100 - 200 - 400 - 300 - 500 - 100
900	200 - 100 - 500 - 300 - 400 - 200 - 600

Écris tes calculs.

....

....

....

....

2 La 1ʳᵉ et la 2ᵉ cartes ont été choisies. Entoure la 3ᵉ carte.

Cible	1ʳᵉ carte	2ᵉ carte	3ᵉ carte
600	200	200	400 - 500 - 100 - 300 - 200
1 000	100	300	100 - 200 - 900 - 300 - 500
800	100	500	100 - 300 - 200 - 500 - 400
900	300	200	400 - 100 - 300 - 200 - 100

Calculs
multiplicatifs
et de division

Ermel page 279
Guide d'utilisation
page 77

Combien au plus ?

■ *Savoir utiliser la multiplication pour résoudre un problème divisif.*

date : ....

1 Lis cet énoncé.

Les robots

Adrien veut acheter le plus possible de robots à 63 F l'un.
Il a 400 F.

Combien de robots peut-il acheter ?
Fais ta recherche sans calculette.

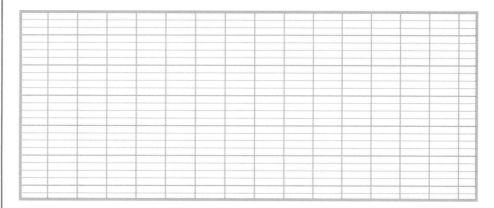

date : ....

2 Lis cet énoncé.

Les livres

La bibliothécaire veut acheter le plus possible de livres
à 48 F l'un.
Elle possède 1 000 F.

Combien de livres va-t-elle acheter ?
Précise si tu as utilisé la calculette.

Trouvez l'intrus !

■ *Connaître plusieurs écritures multiplicatives d'un même nombre.*

date : ....

1 Trouve l'écriture qui ne va pas avec les autres. Barre-la.

a) | 3 x 8 | 6 x 4 | 9 x 2 | 4 x 6 | 2 x 12 |

b) | 20 x 2 | 5 x 9 | 5 x 8 | 10 x 4 | 40 x 1 |

c) | 6 x 10 | 3 x 20 | 4 x 15 | 2 x 30 | 3 x 30 |

2 Voici des assemblages de cubes vus de dessus.
Ils ont tous le même nombre de cubes, sauf un.

Trouve-le. Explique pourquoi par un calcul.

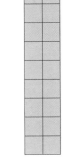

A : .... D : ....

B : .... E : ....

C : ....

Connaître
les nombres

Ermel pages 375 à 376
Guide d'utilisation
page 77

25, 50, 75

■ *Connaître les multiples de 25.*

date : ....

a) Lis la règle du jeu.

> **R È G L E   D U   J E U**
>
> ### Matériel
> – 4 dés marqués 25, 25, 25, 50, 50, 75
> – une grille de jeu
>
> ### Déroulement
> Une partie se joue à 4.
> Elle se déroule en 5 tours.
>
> À chaque tour, chaque joueur lance les 4 dés.
> Il doit alors chercher à totaliser 100, 200 ou 300
> en additionnant les points des dés :
> – s'il totalise 100, le joueur gagne 1 point ;
> – s'il totalise 200, le joueur gagne 2 points ;
> – s'il totalise 300, le joueur gagne 3 points.
> À chaque tour, le joueur note ses points sur sa grille.
>
> Celui qui a le plus de points a gagné.

b) À toi de jouer !

	1er dé	2e dé	3e dé	4e dé	5e dé	Résultat	Points
1er tour							
2e tour							
3e tour							
4e tour							
5e tour							
TOTAL							

Calculs

■ *Utiliser ses connaissances sur les nombres.*

date : ....

1 Dans la case de droite, écris le double du nombre
de gauche.

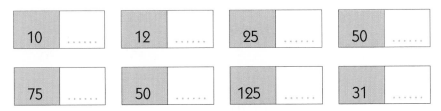

| 10 | ...... | | 12 | ...... | | 25 | ...... | | 50 | ...... |

| 75 | ...... | | 50 | ...... | | 125 | ...... | | 31 | ...... |

2 Colorie ce qui est égal à 100.

| 45 + 55 | | 50 + 25 + 25 | | 130 − 40 | | 10 x 10 |

| 75 + 25 + 25 | | 1 000 − 0 | | 70 + 30 |

| 99 x 1 | | 50 x 2 |

3 Continue.

125 - 250 - 500 - .... - .... - .... - .... - ....

25 - 50 - 100 - .... - .... - .... - .... - ....

4 Dans la case de droite, écris la moitié du nombre
de gauche.

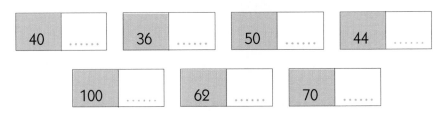

| 40 | ...... | | 36 | ...... | | 50 | ...... | | 44 | ...... |

| 100 | ...... | | 62 | ...... | | 70 | ...... |

Bilan 4

1 Aujourd'hui, la maman de François a 37 ans.

Quelle est sa date de naissance ?

2 La maîtresse dit : « Quand je suis arrivée, le compteur de la photocopieuse marquait 529. J'ai fait 36 photocopies.

Que marque le compteur maintenant ? »

3 Pierre a ramassé 84 marrons. Claude en a ramassé 124.

Combien de marrons Claude a-t-il en plus ?

4 Un autobus arrive à l'arrêt du Conservatoire.
Il y a déjà 35 personnes assises.
15 autres personnes montent.
À l'arrêt suivant, 12 personnes descendent.

Combien de personnes y a-t-il maintenant dans l'autobus ?

5 En 1920, la grand-mère de monsieur Duval avait 45 ans.

En quelle année est-elle née ?

Bilan 4

6 Calcule rapidement.

a) 24 + 100   = ...

72 + 100   = ...

100 + 53   = ...

100 + ... = 107

322 − 100   = ...

b) 200 + 300   = ...

800 + 200   = ...

200 + ... = 600

330 + ... = 700

570 − .... = 500

7 Effectue les conversions.

7 cm = ... mm

15 cm = ... mm

1 m = ... cm

4 cm et 8 mm = ... mm

8 Calcule.

5 x 2 = ...	3 x 5 = ...
6 x 5 = ...	3 x 4 = ...
10 x 4 = ...	7 x 3 = ...
6 x 6 = ...	10 x 5 = ...
5 x 4 = ...	6 x 4 = ...

9 Pose et effectue.

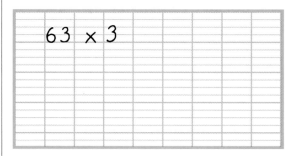

63 x 3

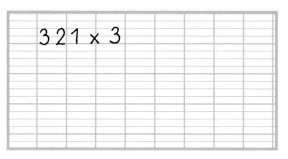

321 x 3

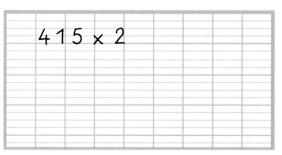

415 x 2

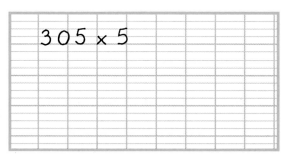

305 x 5

10 Compte de 25 en 25 de 0 à 200.

....

....

Période 5

Les partages

■ *Faire des essais et les contrôler.*

date : ....

1 Lis cet énoncé.

Sophie a 78 images.
Elle veut les partager en 3 paquets égaux.

Combien d'images y aura-t-il dans chaque paquet ?

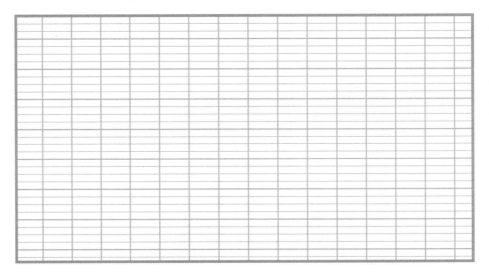

date : ....

2 Lis cet énoncé.

Marc a 132 bonbons.
Il veut les partager équitablement entre ses 4 amis.

Combien de bonbons va-t-il donner à chacun ?

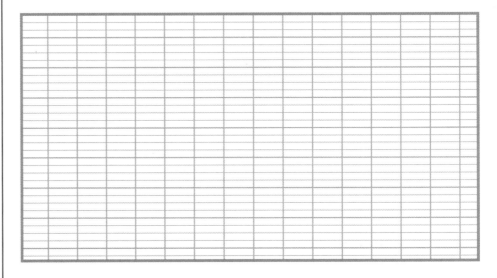

3 Lis cet énoncé.

Quatre enfants ont des billes :
– Paul a 24 billes ;
– Pierre a 44 billes ;
– Jean a 30 billes ;
– Luc a 26 billes.
Ils veulent se les partager pour que chacun en ait autant.

Combien de billes aura chaque enfant ?

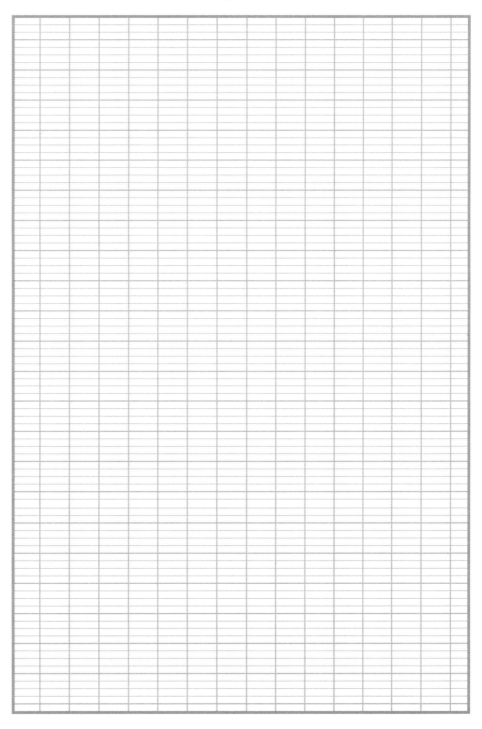

Calculs additifs
et soustractifs

Ermel pages 151 à 153
Guide d'utilisation
page 82

La boîte jaune

■ *Résoudre des problèmes additifs et soustractifs.*

date : ....

1 Complète le tableau.

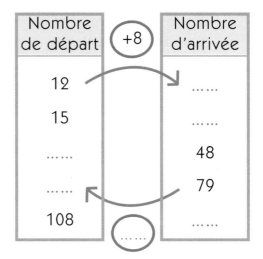

---

2 Sonia a mis des cubes dans une boîte. Elle en a ajouté 45. Maintenant, elle a 87 cubes.

Combien de cubes avait-elle au début ?

....

....

---

3 Décompte de 10 en 10 de 283 à 213.

....

....

---

4 Je pense à un nombre. Je lui ajoute 42.
Je trouve 154.

Quel est ce nombre ? ......

Calculs
multiplicatifs
et de division

Ermel pages 270 à 273
Guide d'utilisation
page 82

Les nombres rectangulaires

■ *Utiliser la commutativité de la multiplication.*

date : ....

1 Trace en rouge 4 rectangles différents de 72 carreaux chacun.

2 À partir de ce répertoire, calcule rapidement les produits suivants.

Répertoire
12 x 2 = 24
12 x 3 = 36
12 x 6 = 72
12 x 10 = 120

12 x 5 = ...

12 x 7 = ...

12 x 12 = ...

12 x 16 = ...

Problèmes

Ermel pages 92 à 93
Guide d'utilisation
page 86

Les aimants

■ *Faire des essais et les contrôler.*

date : ....

● Lis cet énoncé.

La maîtresse veut afficher des images dans la classe.
Pour les petites images, elle a besoin de 4 aimants.
Pour les grandes images, elle a besoin de 6 aimants.
La maîtresse dispose de 36 aimants.

Combien de grandes et de petites images la maîtresse peut-elle afficher ?

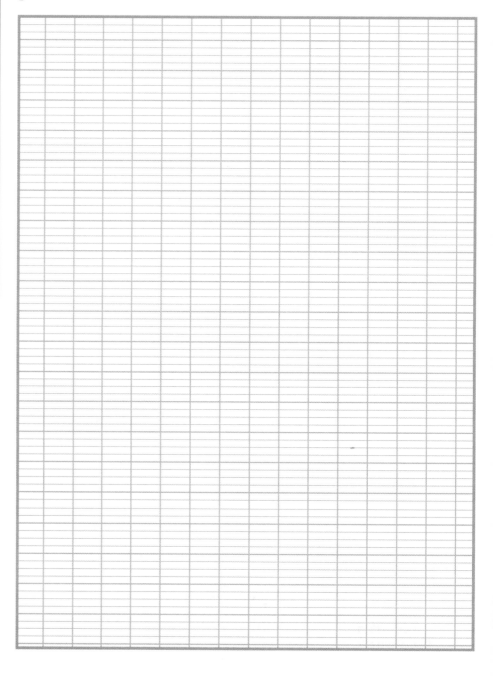

Problèmes

Ermel pages 93 à 94
Guide d'utilisation
page 86

Le restaurant

■ *Faire des essais et les contrôler.*

date : ....

1 Lis cet énoncé.

Au restaurant du Moulin Bleu, on sert à midi 2 sortes de repas :
– l'un à 40 F tout compris ;
– l'autre à 60 F tout compris.
Mardi, après le départ des clients, le caissier fait ses comptes. Il a 520 F dans la caisse.

Combien de repas ont été servis ce jour-là ?

date : ....

2 Lis cet énoncé.

Au restaurant du Moulin Bleu, on sert à midi 2 sortes de repas :
– l'un à 40 F tout compris ;
– l'autre à 60 F tout compris.
Mardi, après le départ des clients, le caissier fait ses comptes. Il a 900 F dans la caisse.

Combien de repas ont été servis ce jour-là ?

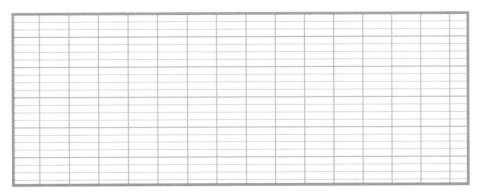

Calculs (piste graduée, jeux de mariage, droite numérique)

■ *Savoir calculer.*

date : ....

1 Colorie en rouge les cases égales à 400, 500, 600 pour aider Mélanie à atteindre le gâteau.

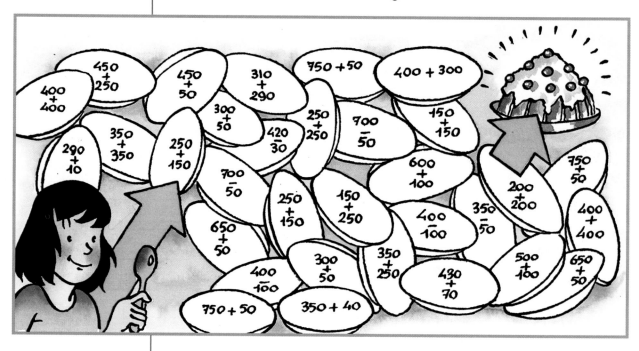

2 Quel est l'écart entre 135 et 162 ?

135   162

....

....

3 Pierre joue au jeu de la piste. Il tire le carton 35.
Il arrive sur la case 215.

Quel est le numéro de sa case de départ ?

....

....

4 Il a 15 dizaines et 7 unités.

Quel est ce nombre ? ....

....

5 Il est compris entre 300 et 400.
Son chiffre des dizaines est la moitié de dix.
Son chiffre des unités est égal à 2 x 2.

Quel est ce nombre ? ....

....

Calculs multiplicatifs et de division

Ermel page 281
Guide d'utilisation
page 87

Opération puzzle

■ *Connaître la technique de la multiplication.*

date : ....

1 La multiplication est en morceaux. Remets-la dans l'ordre.

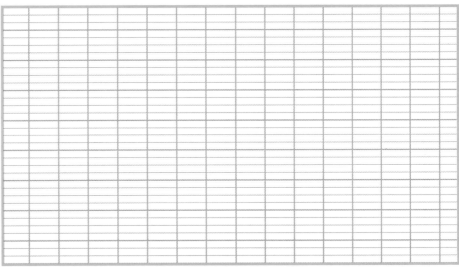

2 La multiplication est en morceaux. Remets-la dans l'ordre.

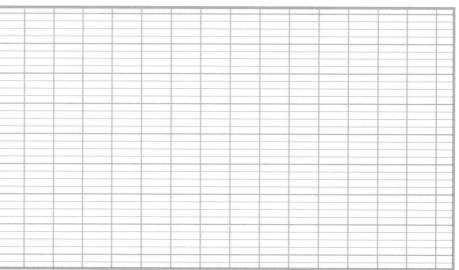

3 Mathieu achète 123 billes à 3 F l'une.

Combien dépense-t-il ?

....

....

....

....

4 Effectue ces produits.

7 x 10 = ...	6 x 10 = ...	10 x 4 = ...
10 x 5 = ...	12 x 10 = ...	20 x 10 = ...
18 x 10 = ...	10 x 45 = ...	204 x 10 = ...
10 x 10 = ...	10 x 40 = ...	10 x .... = 70

Période 5
Quinzaine 2

5 Colorie :

- en bleu les produits qui font 36.
- en vert clair les produits qui font 24.
- en vert foncé les produits qui font 30.
- en jaune les produits qui font 48.
- en rouge les produits qui font 25.

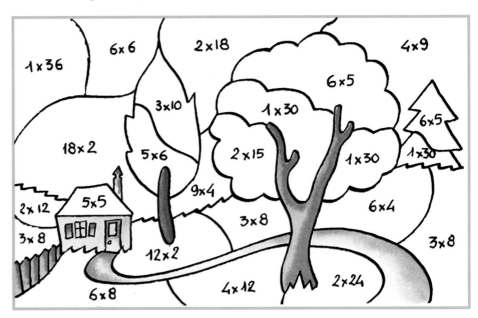

6 La maîtresse a acheté 28 pochettes de 12 feutres à 6 F la pochette.

Combien a-t-elle dépensé ?

Connaître
les nombres

Ermel pages 338 à 341
Guide d'utilisation
page 87

Les cahiers

■ *Savoir extraire le nombre de dizaines de centaines d'un nombre.*

date : ....

1 Le maître a commandé 3 paquets de 10 cahiers pour sa classe.

Combien de cahiers a-t-il en tout ?

....

....

2 Le directeur a commandé 2 cartons de 100 cahiers
et 5 paquets de 10 cahiers pour l'école.

Combien de cahiers a-t-il en tout ?

....

....

3 Les timbres sont vendus par carnets de 10 timbres.

Pour avoir 250 timbres, combien de carnets faut-il acheter ?

....

....

4 Le directeur de l'école a 18 timbres.
Il achète encore 3 carnets de 10 timbres.

Combien d'enveloppes pourra-t-il timbrer ?

....

....

Connaître
les nombres

Ermel pages 400 à 401
Guide d'utilisation
page 87

La monnaie

■ *Savoir lire et manipuler des écritures liées à la monnaie.*

date : ....

1 Pierre a cassé sa tirelire.
Compte combien d'argent il a : ....

10c 20c 2F 5c 10c 5c

1/2F

5c 5c 5c 1/2F 10c 5c

10c 10c

10c 2F 5c 20c 5c 5c 10c

5c 10c 5c 10c 1F 20c

2 Anne paie sa nouvelle radio avec les pièces suivantes :
– 6 pièces de 10 F
– 10 pièces de 5 F
– 8 pièces de 2 F
– 9 pièces de 1 F
– 6 pièces de 1/2 F

Calcule le prix de cette radio.

Période 5
Quinzaine 2

Problèmes

Ermel pages 94 à 96
Guide d'utilisation
page 90

Le thé des maîtresses

■ *Décomposer un problème en sous-problème.*

date : ....

Lis cet énoncé.

Chaque jour, les maîtresses de l'école utilisent 14 morceaux de sucre pour le thé qu'elles boivent pendant la récréation.

Combien de jours va durer la boîte de sucre ?

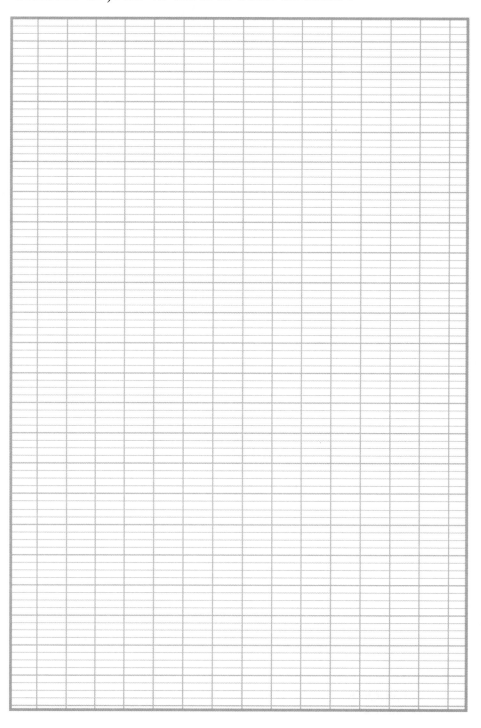

Problèmes à énoncés

■ *Résoudre des problèmes additifs et soustractifs.*

date : ....

1 Un automobiliste prend l'autoroute pour aller de Paris
au Mans en passant par Chartres. Un premier panneau
lui indique la distance Paris-Chartres : 97 km.
Puis un deuxième panneau lui indique la distance
Chartres-Le Mans : 107 km.

Quelle est la distance de Paris au Mans ?

....

....

2 Jérémy arrive à l'école, le matin, avec un sac de billes.
Il ne sait pas combien il en a. Pendant la journée,
il fait plusieurs parties de billes. Il en perd 15.
Le soir, il compte ses billes. Il en a 47.

Combien de billes avait-il dans son sac, le matin,
en arrivant à l'école ?

....

....

3 Aurélie a rangé des images dans une boîte.
Elle ne sait pas combien. Elle en colle 27 dans son album,
puis elle compte les images qui restent dans la boîte.
Il y en a maintenant 15.

Combien d'images y avait-il dans la boîte ?

....

....

Problèmes multiplicatifs

■ *Résoudre des problèmes.*

date : ....

1 Dans un club de rugby, il y a 5 équipes de 13 joueurs.

Combien de joueurs y a-t-il dans ce club ?

....

....

2 Éric veut commander : 6 soldats à 23 F l'un, 1 « Game Boy »
à 426F et 12 voitures à 8 F l'une. Il a 700 F.

a) Aide-le à remplir ce bon de commande.

Article	Nombre	Prix à l'unité	Prix total
		Total de la commande	

b) Restera-t-il de l'argent à Éric après sa commande ?

....

....

....

....

Connaître
les nombres

Ermel pages 341 à 344
Guide d'utilisation
page 91

Les «louches trouées»

■ *Utiliser le vocabulaire : unités, dizaines, centaines.*

date : ....

1 Voici des nombres :

341   28   2137   234

3245   157   1354   35

1230   202   2364

a) Colorie en bleu les nombres qui ont 2 comme chiffre des centaines.

b) Colorie en rouge les nombres qui ont à la fois 3 comme chiffre des centaines et 4 comme chiffre des unités.

2 Écris plusieurs nombres dont le chiffre des unités est 6 et dont le chiffre des centaines est 3.

....

....

3 Voici un nombre : 257

Ajoute-lui 2 dizaines.

Écris le nombre obtenu : ....

....

4 Utilise ces 3 étiquettes pour trouver un nombre.

15 dizaines   21 unités   3 centaines

**Connaître
les nombres**

Ermel pages 404 à 405
Guide d'utilisation
page 91

Les mesures

■ *Se représenter des longueurs.*

date : ....

1 Colorie la réponse qui te semble possible.

La Tour Eiffel mesure : | 2 km | 1000 m | 300 m |

Une fourchette mesure : | 20 cm | 40 cm | 7 cm |

Une craie neuve mesure : | 5 cm | 10 cm | 14 cm |

La largeur d'un timbre est de : | 1 cm | 2 cm | 5 cm | 8 cm |

2 **a)** Quel est l'objet dessiné le plus long ?

b) Quel est l'objet dessiné le moins long ?

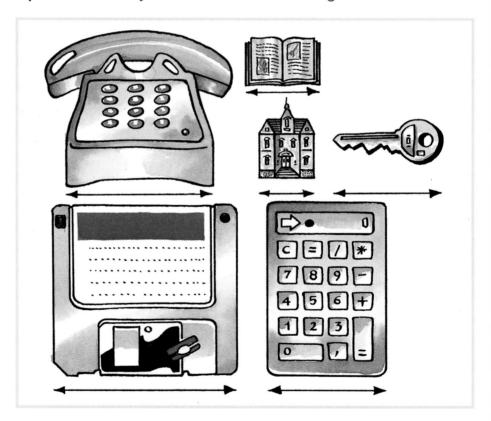

Écris tes réponses.

....

....

Bilan 5

1 Maryne a 200 F dans son porte-monnaie.
Elle achète 3 cahiers à 12 F l'un, une trousse à 25 F et un livre qui coûte 75 F.

Combien d'argent lui restera-t-il après tous ces achats ?

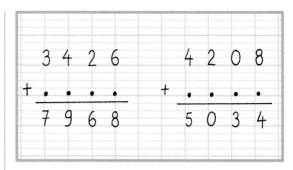

2 Effectue les additions.

364 + 421 + 36

629 + 258

3 Effectue les multiplications.

436 × 3

257 × 5

4 **a)** Il a 12 dizaines et 3 unités. Quel est ce nombre ?

b) Il a 8 dizaines et 25 unités. Quel est ce nombre ?

Bilan 5

5 Range les nombres suivants du plus petit au plus grand.
482 - 284 - 480 - 804 - 334

....

6 Écris le signe qui convient
< ou > ou =.

432 342

3 x 5 20

400 + 60 406

275 ...... 100 + 100 + 60 + 15

708 ...... 600 + 100 + 10

80 ...... 40 x 2

7 Écris en lettres.

205 : ....

72 : ....

81 : ....

1 013 : ....

900 : ....

8 *(Le maître va te donner une dictée de nombres.)*

9 Écris le nombre qui vient juste avant et celui qui vient juste après.

......	100	......

......	280	......

......	459	......

10 Utilise ces 3 étiquettes pour retrouver le nombre.

18 dizaines   36 unités

5 centaines

....

....

Imprimé en France par I.M.E. - 25110 Baume-les-Dames
Dépôt légal : Juin 1995 - N° Editeur : 09691 - N° Imprimeur : 10078